BEITRÄGE ZUM PLURALGEBRAUCH IN DER ALTENGLISCHEN POESIE

INAUGURAL-DISSERTATION

ZUR

ERLANGUNG DER DOKTORWÜRDE

DER

HOHEN PHILOSOPHISCHEN FAKULTÄT

DER

VEREINIGTEN FRIEDRICHS-UNIVERSITÄT

HALLE-WITTENBERG

VORGELEGT VON

PAUL GRIMM

AUS ERFURT

HALLE A. S.
HOFBUCHDRUCKEREI C. A. KAEMMERER & CO.
1912

4

Grimm, Paul

Beitraege zur Pluralgebrauch in der Altenglischen Poesie

Grimm, Paul

Beitraege zur Pluralgebrauch in der Altenglischen Poesie

Inktank publishing, 2018

www.inktank-publishing.com

ISBN/EAN: 9783750149311

Meinen lieben Eltern

in Dankbarkeit

gewidmet.

Literaturverzeichnis

I. Quellen

Æðel.   = Æðelstān's Sieg; Bibl. Poes. I 374.

Alm.   = Almosen (Exon.); Bibl. Poes. III 1, 181 ff.

An.   = Andreas; Bibl. Poes. II 1 ff.; daneben wurde noch die Ausgabe von G. Ph. Krapp, London 1868, benutzt.

Az.   = Azarias; Bibl. Poes. II 2, 516.

Beow.   = Beowulf; ed. F. Holthausen, 2. Aufl., Heidelberg 1908/09; ed. Heyne-Schücking, Paderborn 1910. Im Folgenden wird wesentlich nach Holthausen zitiert.

Bibl.Poes. = Bibliothek der angelsächsischen Poesie, begründet von Ch. W. M. Grein, fortgesetzt und neu bearbeitet von Wülker, 3 Bde., Kassel 1881 ff.

Bo.   = Botschaft des Gemahls; Bibl. Poes. I 309 ff.

By.   = Byrhtnōth's Tod; Bibl. Poes. I 358 ff.

Cræ.   = Bī monna cræftum; Bibl. Poes. III 1, 140 ff.

Cri.   = Cynewulf's Crist; Bibl. Poes. III 1, 1 ff.; daneben wurde eingesehen die Ausgabe von A. S. Cook, Boston 1900.

Dan.   = Daniel; Bibl. Poes. II 476 ff.

Dōm.   = Bē dōmes dæge; Bibl. Poes. III 1, 171 ff.

Eadg.   = Eadgar; Bibl. Poes, I 381 ff.

El.   = Cynewulf'sElene; ed.F.Holthausen,Heidelberg1905.

Exod.	= *Exodus*; Bibl. Poes. II 445 ff.; daneben wurde noch eingesehen die Ausgabe von F. A. Blackburn, Boston und London 1907.
Fa.	= *Fata apostolorum*; Bibl. Poes. II 1, 87 ff.
Fœ.	= *Fœder läras*; Bibl. Poes. I 353 ff.
Fi.	= *Das Finsburg-Bruchstück*; ed. F. Holthausen, 2. Aufl., Heidelberg 1908/09 (cfr. Beowulf-Ausgabe, p. 104); ed. M. Heyne-Schücking, Paderborn 1910 (cfr. Beowulf-Ausgabe p. 91 ff.); zitiert wird nach Holthausen.
Gen.	= *Genesis*; Bibl. Poes. II 318 ff.
Gn. Ex.	= *Denksprüche (Gnomica) aus der Exeterhandschrift*; Bibl. Poes. I 341 ff.
Gn. C.	= *Denksprüche aus der Cottonhandschrift*; Bibl. Poes. I 338 ff.
Gū.	= *Gūðlāc*; Bibl. Poes. III 1, 55 ff.
Hö.	= *Höllenfahrt Christi*; Bibl. Poes. III 1, 175 ff.
Hy.	= *Hymnen und Gebete*; Bibl. Poes. II 211 ff.
Jud.	= *Judith*; Bibl. Poes. II 294 ff.
Jul.	= *Juliane*; Bibl. Poes. III 1, 117 ff.; daneben ist eingesehen die Ausgabe von W. Strunk, Boston und London 1904.
Kl.	= *Klage der Frau*; Bibl. Poes. I 302 ff.
Kr.	= *Traumgesicht vom Kreuze Christi*; Bibl. Poes. II 111 ff.
Men.	= *Menologium*; Bibl. Poes. II 2, 282 ff.
Met.	= *Metra des Boethius*; Bibl. Poes. III 247 ff. oder III 2, 1 ff.
Mōd.	= *Bī manna mōde*; Bibl. Poes. III 1, 144 ff.
Pa.	= *Panter*; Bibl. Poes. III 1, 164 ff.
Phö.	= *Phönix*; Bibl. Poes. III 1, 95 ff.
Ps.	= *Psalmen*; Bibl. Poes. III 329 ff. oder III 2, 83 ff.
Rä.	= *Die Rätsel des Codex Exoniensis*; Bibl. Poes. III 1, 183 ff.

Reb.   = *Rebhuhn*; Bibl. Poes. III 1, 170 ff.

Reim.   = *Reimlied*; Bibl. Poes. III 1, 156 ff.

Ruin.   = *Ruine*; Bibl. Poes. I 296 ff.

Sal.   = *Salomo und Saturn*; Bibl. Poes. III 304 ff. oder III 2, 58 ff.

Sat.   = *Christ und Satan*: Bibl. Poes. II 558 ff.

Sch.   = *Wunder der Schöpfung*; Bibl. Poes. III 1, 152 ff.

Seef.   = *Seefahrer*; Bibl. Poes. I 290 ff.

Seel.   = *Rede der Seele an den Leichnam*, Bibl. Poes. II 92 ff.

Wal.   = *Der Walfisch*; Bibl. Poes. III 1, 167.

Wand.   = *Der Wanderer*; Bibl. Poes. I 284 ff.

Wî.   = *Wîdsîð*; Bibl. Poes. I 1 ff.; daneben wurde eingesehen die Ausgabe von F. Holthausen, 2. Aufl., Heidelberg 1908/09 (cfr. Beowulfausgabe p. 109 ff.)

Wy.   = *Bî manna wyrdum*; Bibl. Poes. III 1, 148 ff. (Neben der von Wülker neu bearbeiteten Auflage der Greinschen „Bibliothek der angelsächsischen Poesie" ist an einigen Stellen auch die ältere Ausgabe eingesehen worden, cfr. Grein: „Bibliothek der angelsächsischen Poesie", Kassel 1857, 1861 (2 Bde.))

II. Hilfsmittel

O. Behaghel: „Die Syntax des Heliand", Wien-Leipzig-Prag 1897.

— „Der Heliand und die altsächsische Genesis", Giessen 1902.

Robert Mowry Bell: „Der Artikel bei Otfrid", Leipziger Diss. 1907.

W. Braune: „Gotische Grammatik", 6. Aufl., Halle 1903.

— „Althochdeutsche Grammatik", Halle, 3. Aufl. 1911.

K. Brugmann: „Kurze vergleichende Grammatik der indogermanischen Sprachen", Strassburg 1904.

K. Brugmann —B. Delbrück: „Grundriss der vergleichenden Grammatik der indogermanischen Sprachen“, Strassburg, 1893 ff., 5 Bde., Bd. I, 2. Aufl. 1897, Bd. II, 2. Aufl.. 1906/11.

Albert Cook: „A concordance to Beowulf“ Halle 1911.

B. Delbrück: „Synkretismus, ein Beitrag zur germanischen Kasuslehre“, Strassburg 1907.

— „Germanische Syntax I/II“. Strassburg 1910/11.

O. Erdmann: „Untersuchungen über die Syntax der Sprache Otfrids“, Halle 1874, 76.

— „Grundzüge der deutschen Syntax, nach ihrer geschichtlichen Entwicklung dargestellt“, Stuttgart 1896/98 (Cotta).

S. Feist: „Etymologisches Wörterbuch der gotischen Sprache“, Halle 1909.

A. Fick: „Vergleichendes Wörterbuch der indogermanischen Sprachen“, Göttingen, 4. Aufl., 1891/94/1909.

Ch. W. M. Grein: „Dichtungen der Angelsachsen, stabreimend übersetzt“, Kassel und Göttingen 1863.

— „Sprachschatz der angelsächsischen Dichter“, Kassel und Göttingen 1861, 1864.

H. Gering: „Beowulf nebst Finsburgfragment, übersetzt und erläutert“, Heidelberg 1906.

Jac. Grimm: „Deutsche Grammatik“, Bd. III/IV, Göttingen 1831/37. Neuer Abdruck, 4 Teile, Gütersloh 1869/98, 1., 2. Teil besorgt durch Scherer; 3., 4. Teil besorgt durch Roethe und Schröder.

M. Heyne-Schücking: „Beowulf mit ausführlichem Glossar“, Paderborn 1910.

O. Hofer, „Der syntaktische Gebrauch des Dativ und Instrumental in den Cædmon beigelegten Dichtungen“, Leipziger Diss. 1884.

A. Hoffmann: „Der bildliche Ausdruck im Beowulf und in der Edda“, Breslauer Diss. 1882; Rezens. cfr. Engl. Studien Bd. VI.

Holder: „Beowulf“, Teil I/II; Freiburg i. B.; 1881/84/95/99.

F. Holthausen: „Beowulf nebst den kleineren Denkmälern der Heldensage", I. Bd. = Text, II. Bd. = Glossar und Anmerkungen, Heidelberg 1908/09.

H. Jacobs: „Die Namen der profanen Wohn- und Wirtschaftsgebäude und Gebäudeteile im Altenglischen", Kieler Diss. 1911.

Th. Ingenbleck: „Über den Einfluss des Reims auf die Sprache Otfrids", als Band der idg. Forschungen erschienen, Strassburg 1880.

M. Kaluza: „Historische Grammatik der englischen Sprache", 2 Bde., Berlin 1906/07, 2. Aufl.

Joh. Kelle: „Otfrids v. Weissenburg Evangelienbuch; Text, Einleitung, Grammatik, Metrik, Glossar", Regensburg 1881, 3 Bde.

F. Kluge: „Etymologisches Wörterbuch der deutschen Sprache", Strassburg 1899.

C. F. Koch: „Historische Grammatik der englischen Sprache", 3 Bde., Kassel 1878, 1882, 1891.

J. Kress: „Über den Gebrauch des Instrumentalis in der angelsächsischen Poesie", Marburger Diss. 1864.

E. Mätzner: „Englische Grammatik", 3 Bde., Berlin 1873/75.

A. Mohrbutter: „Darstellung der Syntax in den vier echten Predigten des angelsächsischen Erzbischofs Wulfstān", Münsterer Diss. 1885.

Ps. Gdr. = „Pauls Grundriss der germanischen Philologie", 2. Aufl., Strassburg 1901.

Joh. Ries: „Die Wortstellung im Beowulf", Halle 1907.

Ed. Sievers: „Angelsächsische Grammatik", 3. Aufl., Halle 1898.

W. Skeat: „A Concise Etymological Dictionary of the English Language", Oxford, A New Edition 1910.

H. Sweet: „The Student's Dictionary of Anglo-Saxon", Oxford 1911.

W. Wilmanns: „Deutsche Grammatik", III 2, Strassburg 1909 (Nomen und Pronomen).

H. Winkler: „Germanische Kasussyntax I" (der Dativ, Instrumental, örtliche und halbörtliche Verhältnisse), Berlin 1896, (die Rezension von Mensing ist einzusehen in Z. f. d. Ph. XXX, S. 548 ff.)

Kurt Witte: „Singular uud Plural, Forschungen über Form und Geschichte der griechischen Poesie", Leipzig 1907.

J. E. Wülfing: „Die Syntax in den Werken Alfreds des Grossen", 2 Bde., Bonn 1894 (I. Teil), 1897/1901 (II. Teil).

W. Wundt: „Völkerpsychologie", I 1, 2, Leipzig 1900.

J. Zupitza: „Beowulf", London 1882.

Die benutzte Zeitschriftenliteratur sowie einschlägige Einzelabhandlungen werden ad locum zitiert.

Inhaltsverzeichnis

Einleitung

Meine Untersuchungen erstrecken sich auf folgende Werke der altenglischen Poesie: Beowulf, Genesis, Exodus, Daniel, Christ und Satan (letztere vier sind die dem Dichter Cædmon beigelegten Werke). Mit Hilfe von Greins „Sprachschatz der angelsächsischen Dichter" (cfr. a. a. O.) habe ich aus den übrigen altenglischen poetischen Werken meine Belege zu häufen und zu vervollständigen gesucht. Auch die altenglische Prosa, speziell die Werke Alfreds des Grossen, wurden an mehreren Stellen zum Vergleiche herangezogen. Hierbei benutzte ich mehrere Male: Wülfing „Die Syntax in den Werken Alfreds des Grossen" (a. a. O.)

Jedem, der sich eingehend mit der Lektüre des Beowulf beschäftigt, wird auffallen, dass in dem Gedichte ein Pluralgebrauch an vielen Stellen auftritt, in denen singularische Bedeutung vorliegt und wo singularischer Gebrauch zu erwarten ist. Auf mehrere dieser Stellen ist von der Forschung des öfteren hingewiesen worden, andere dagegen sind bisher nicht beachtet worden. In erster Linie ist es bei den in Frage kommenden Fällen der Dativ resp. Dativ Instrumentalis, bei denen ich einen abweichenden Numerusgebrauch habe beobachten können. Die anderen Kasus spielen in dieser Hinsicht eine bedeutend geringere Rolle, und deshalb habe ich auch sie in dieser Arbeit etwas in den Hintergrund treten lassen. Dass gerade der Dativ so stark hervortritt, erklärt sich daher, dass dieser Kasus im Germanischen überhaupt als Hauptkasus anzusehen ist. Die Bedeutung des germanischen Dativs hat Winkler in seinem Werke: „Germanische Kasussyntax I" gewürdigt, cfr. a. a. O. S. 1 ff. Und was Winkler hier vom indogermanischen Dativ im allgemeinen und vom gotischen Dativ im besonderen sagt, hat zum weitaus grössten

15

Teile auch für das Angelsächsische (sowie auch für das Alt-
nordische) Geltung, wie auch Winkler a. a. O. S. 363 — leider
weniger ausführlich als fürs Gotische — nachzuweisen sucht.[1)]
Nicht unerwähnt lassen möchte ich an dieser Stelle die
lehrreichen Ausführungen von E. Sievers in P. B. B. XXIX,
S. 560 ff., die für den altenglischen Numerusgebrauch zu
vergleichen sind.

Kapitel I
Der Pluralgebrauch bei den alten Dualen
brēost und duru

Für den Dualgebrauch im Indogermanischen im allgemeinen und für den germanischen Dualgebrauch im besondern
sind folgende Arbeiten einzusehen: Brugmann-Delbrück a. a. O.
Bd. III und Wilmanns a. a. O. Bd. III 2. Ferner sind zu vergleichen Kluges Aufsatz: „Sprachhistorische Miszellen" in
P. B. B. Bd. VIII, S. 509 ff. sowie van Helten's Abhandlung:
„Grammatisches" in P. B. B. Bd. XXXIV, S. 112 ff. unter
dem Spezialtitel „Zur Entwickelung von westgermanischem
e und o aus i und u".

Im Altenglischen werden wie im Althochdeutschen von
brēost und duru beide Numeri gebildet; aber der alte dualische resp. pluraletantische Gebrauch zeigt sich noch deutlich
darin, dass in vielen Fällen der Plural sich findet, wo zweifellos singularische Bedeutung vorliegt, und zwar — besonders
bei brēost ist dies der Fall — auch in solchen Sätzen, wo

---

1) Ausser dem angeführten Werke Winkler's ist hierzu noch
zu vergleichen: Winkler in: Zur Sprachgeschichte, p. 193—245, Uralalt.
Völker und Sprachen (im speziellen Teile), Zur idg. Syntax p. 10—16.
Auch Brugmann sowie Wilmanns a. a. O. sind einzusehen. Zum gotischen Dativ vergl. noch speziell: Art. Köhler, „Über den syntaktischen Gebrauch des Dativs im Gotischen" in der Germania, Bd. XI,
S. 261 ff. Zum altnordischen Dativ ist zu vergleichen: Dietrich, „Über
den nordischen Dativ" in der Z. f. d. A., Bd. VIII, S. 70 ff.

die Vorstellung der Doppelheit garnicht mehr geherrscht haben kann. Ursprünglich lag natürlich im Indogermanischen duale Auffassung vor: Tür = die beiden Türflügel (aus denen sich das Tor schon in den ältesten Zeiten zusammensetzte) und Brust = die beiden Brüste beim Weibe.

Zu beachten ist, dass in der altenglischen Prosa sich der alte dualische Gebrauch bei brēost häufig noch findet, während er sich bei duru schwerer nachweisen lässt. Wülfing a. a. O. gibt Belege für das Vorkommen von pluralisch gebrauchtem brēost in singularer Bedeutung für die Werke Alfreds des Grossen. Diese Fälle sind in der Cura Pastoralis nachweisbar und zwar an folgenden Stellen: 78, 3: on his brēostum, ebenso 78, 4; 136, 9: gelecð þā brēost þæs gehierendes; 311, 1: on þīnum brēostum þū scealt snīcan; 405, 1: þǣr wæron gehnescode hiera brēost, ebenso 405, 2; 419, 29: on his brēostum; 469, 4: on weres brēostum. Auch Cp. 60, 13 ist anzuführen: his brēost sien symle onhielde (entsprechend dem Lateinischen: pietatis viscera; Sweet: his heart; vgl. Höser: „Die syntaktischen Erscheinungen in «Bē dōmes dæge»" § 2a). Pluralisch gebrauchtes duru indessen in singularer Bedeutung hat Wülfing für die Werke Alfreds des Grossen nicht nachweisen können. Ob in der übrigen angelsächsischen Prosa sich solche Beispiele finden, kann ich nicht entscheiden.

a) Pluralischer Gebrauch
von brēost in singularer Bedeutung

Zur grammatischen Erklärung von brēost ist Kluge mit seinem auf S. 14 schon genannten Aufsatze in P. B. B. Bd. VIII, S. 509 einzusehen. Ihm widerspricht Osthoff in seinem Aufsatze: „Gab es einen Instr. Sg. auf -mi im Germanischen?" im 20. Bde. der Jdg. Forschungen.

F. Kluge weist in seinem Aufsatze darauf hin, dass im Altenglischen — wie auch im Altnordischen — der Plural von brēost noch oft im Sinne des Singular (lat. pectora) gebraucht wird, „im Altenglischen jedenfalls öfter als es nach Sweet zur Cur. Past. p. 480 scheinen könnte." Auch betont

der Verfasser in dieser Abhandlung, dass gerade der Dativ
einen abweichenden Gebrauch aufweist und führt Folgendes
aus: „Im Altenglischen ist von brēost der Dativ Pluralis
brēostum jedenfalls weit üblicher als der Dativ Singularis
brēoste, und keine Pluralform des Wortes ist so beliebt wie
der Dativ Pluralis brēostum. Leider habe ich keine Samm-
lungen über das Wort gemacht, vielleicht habe ich später
Gelegenheit, genaue Beobachtungen nachtragen zu können."
Da diese Sammlung inzwischen noch nicht gemacht
worden ist, will ich sie im Folgenden für die angelsächsische
Poesie geben:
Den Dat. Sing. brēoste habe ich in der gesamten ags.
Poesie überhaupt nicht nachweisen können. Der Dat. Plur.
dagegen ist 46 mal zu belegen. Von diesen 46 Belegen
haben folgende Fälle trotz der pluralischen Form singularische
Bedeutung:

Beow. 552: beado-hrægl on brēostum læg
        golde gegyrwed

(Gemeint ist Beowulfs Panzer, der seinen Herrn beim
Wettschwimmen mit Brecca gegen die Fische schützen soll.)

Beow. 2550: Weder-Gēata lēod, þā hē gebolgen wæs
        lēt þā of brēostum word ūt faran

Beow. 2714: . . . Hē þæt sōna onfand,
        þæt him on brēostum bealo-nīðe wēoll
        attor on innan.   (Gemeint ist Beowulf.)

Besonders häufig findet sich dieser Gebrauch in der
Genesis:

Gen. 519: þē weorð on þīnum brēostum rūm
Gen. 562: Gehyge on þīnum brēostum
Gen. 571: gif þū him tō sōðe sægst, hwylce þū selfa hafast
        bisne on brēostum.
Gen. 656: þā hēo to hire hearran spræc:
        Adam, frēa mīn! þis ofet is swā swēte,
        blīð on brēostum . . .
Gen. 715: oðþæt Adame innan brēostum
        his hyge hwyrfde

Gen. 734: . . . Swā þū his sorge ne-þearft
beran on þīnum brēostum
Gen. 751: . . . mæg þīn mōd wesan
blīðe on brēostum
Gen. 802: . . . nū slīt mē hunger and þurst
bitre on brēostum.
Gen. 980: . . . hygewælmas tēah
beorne on brēostum, blatende nīð
Gen. 2639: . . . þē ābregdan sceal
for þære dæde dēað of brēostum
sāwle þīne.
Gen. 2796: Læt þē āslūpan sorge of brēostum
Gen. 2866: . . . ac hine sē hālga wer (= Abraham)
gyrde grægan sweorde, cȳðde, þæt him gāsta
egesa on brēostum wunode. [weardes

Vergleiche ferner:

Exod. 523: Gif onlūcan wile lifes wealhstōd,
beorht in brēostum bānhūses weard,
ginfæst god gāstes cægum.

(Dieses Beispiel ist nicht absolut sicher; es liesse sich
auch plurale Bedeutung rechtfertigen.)

Reiml. 46: Scrīðeð nū dēop fȳre . . .
brondhard geblōwen brēostum inforgrōwen
flyhtum tōflōwen. (Grein: = pectori meo)
Phö. 458: . . . healdeð meotudes ǣ
beald in brēostum and gebedu sēceð
Phö. 568: . . . Mē þæs wēn næfre
forbirsteð in brēostum.
Edg. 40: . . . þæt wæs gnornung micel
þām-þe on brēostum wæg byrnende lufan
metodes on mōde.
Men. 98: . . . þætte drihten nam
in ōðer lēoht Augustinus
blīðne on brēostum
Andr. 51: . . . Hwæðre hē in brēostum þā git
herede in heortan heofonrīces weard

Gn. Ex. 123: Hyge sceal gehealdan, hond gewealdan;
seo sceal in eagan, snyttro in breostum,
þær bið þæs monnes modgeþoncas.

Run. 10: Nyd byð nearu on breostum
(evtl. auch plurale Bedeutung)

El. 967: . . . se hio swa leohte oncneow,
wuldorfæste gife in þæs weres breostum

El. 595: . . . him gebyrde is,
þæt he gegncwidas gleawe hæbbe,
cræft in breostum. (= Judas)

Wa. 113: ne-sceal næfre his torn to rycene
beorn of his breostum acyðan . . .

By. 144: . . . he wæs on breostum wund
þurh þa hringlocan

Cri 341: . . . siððan we motan
anmodhce ealle hyhtan,
nu we on þæt bearn foran breostum stariað!

(in letzterem Falle hat sich wohl die ursprüngliche Bedeutung
= „die beiden Mutterbrüste" erhalten, obwohl sinnbildlich auf
Gott und dessen Verhältnis zu seinem Sohne übertragen).

Gu. 515: þæt him ne getweode treow in breostum
(him = Guðlac)

Gu. 927: . . . þa se ælmihtiga
let his hond cuman þær se halga þeow
deormod ond degle domeadig bad
heard ond hygerof, hyht wæs geniwad
blis in breostum . . .

Gu. 937: . . . ac him dryhtnes lof
born in breostum (him = Guðlac)

Von den 46 belegbaren Dat. Pl. breostum tragen 30—32
singularische Bedeutung. Besonders hinweisen möchte ich
auf feste Formeln und Verbindungen wie in, on breostum
oder breostum on (in) innan. Hier ist der Gebrauch völlig
erstarrt: man ist sich der pluralischen Form nicht mehr bewusst. Einen ähnlichen formelhaften Gebrauch weist F. Kluge
im Heliand nach, wo besonders der Dat. Pl. in der Redensart
an iro breostum sehr beliebt ist.

Wie der Dat. Pl. brēostum lässt sich auch der Dat.
Instr. Pl. brēostum öfters nachweisen, und zwar tragen
von den 9 Beispielen, die ich dafür gefunden habe, 8 zweifellos
singulare Bedeutung. Diese Fälle sind:

Gen. 907: þū scealt wīdeferhð werg þīnum
          brēostum bearm tredan brūðre eorðan

Gn. 626: . . . Eom ic (= Gūðlāc)

. . . .
          brēostum inbryrded tō þām betran hām

Jul. 535: . . . Hēo þæt dēofol tēah
          brēostum, inbryrdcd bendum fæstne
          hālig hæðenne.

El. 1095: þā sē hālga ongan hyge staðolian
          brēostum onbryrded bisceop þæs folces

Ph. 550: . . . þurh gǣstes blǣd
          brēostum onbryrded beald reordade

Fæ. 58: Wǣrwyrde sceal wīsfǣst hæle
          brēostum hycgan, nales breahtme hlūd.

Dem Dat. Instr. Pl. brēostum in An. 1120 dürfte wohl
pluralische Bedeutung zu Grunde liegen.

Wenn Kluge in seinem Aufsatze nachweist, dass gegenüber dem Dat. Pl. brēostum im Heliand alle übrigen Kasus
des Plurals stark zurücktreten, so gilt dies in noch grösserem
Masse wohl für die angelsächsische Poesie. — Belegen lässt
sich hier:

Der Nom. Pl. brēost einmal in singularer Bedeutung,
nämlich:

Rä. 16[15]: hine berað brēost (= er kriecht auf dem Bauche).

Der Gen. Pl. brēosta zweimal, von denen eine Stelle
wiederum durchaus singulare Bedeutung hat, nämlich:

Gen. 1608: . . . oðþæt brēosta hord
          gǣst ellor-fūs gangan sceolde

(bis seiner [= Japhet's] Brust . . .). Die zweite Stelle (Cri. 1073)
hat plurale Bedeutung.

Auch der Acc. Pl. kommt in der angelsächsischen Poesie
einige Male vor; doch kann man hier nicht entscheiden, ob

singulare oder plurale Form vorliegt, da ja die Form des
Acc. Pl. mit der des Acc. Sg. lautlich zusammenfällt.

b) Pluralischer Gebrauch von duru in singularer Bedeutung

Eine ähnliche Entwicklungsgeschichte wie ags. brēost
scheint auch das Wort ags. duru (= Tür) durchgemacht zu
haben. Zur grammatischen Erklärung von duru ist ausser
dem erwähnten Klugeschen Aufsatz in P. B. B. Bd. VIII,
S. 509 ff. noch zu vergleichen: E. Sievers: „Zur Akzent- und
Lautlehre der germanischen Sprachen" in P. B. B. Bd. V,
S. 111 Anm.; Osthoff: „Zur Frage des Ursprungs der germanischen n-Deklination" in P. B. B. Bd. III, S. 49, 74 ff. und
die neuere Arbeit desselben Verfassers: „Gab es einen Instr.
Sg. auf -mi im Germanischen?" in den Idg. Forschungen
Bd. XX, S. 163 ff.

F. Kluge in dem angeführten Aufsatze sowie Osthoff
in den Idg. Forschungen a. a. O. sehen in ae. duru den Reflex
einer alten Dualform. Einige Reste dieses alten Dualge-
brauches haben sich nun noch in der altenglischen Poesie
erhalten. In diesen Fällen finden wir eine Dualform in durchaus singularer Bedeutung. Freilich sind, im Vergleich zu
den überaus reichen Belegen bei brēost, die Belege für duru
sehr gering. Das beste Beispiel bietet:

Fi. 16:   þā tō dura ēodon drihtlīce cempan
  Sigeferð and Eawa, hyra sword getugon,
  ond æt ōðrum durum Ordlāf and Gūðlāf
  ond Hengest sylf: . . .

Hier kann es sich trotz der pluralischen Form nur um
eine Tür handeln (cfr. dazu auch Heyne-Schücking im Glossar
der Beowulf-Ausgabe). — Bemerken möchte ich bei dieser
Stelle noch, dass die altenglischen Gebäude mehrere Türen
(mindestens zwei) sicherlich besessen haben. Jacobs in seiner
Dissertation (a. a. O.) verteidigt die Ansicht, dass die altenglischen Gebäude nur eine Tür besessen haben, indem er
sagt: „Vielmehr ist es sehr wahrscheinlich, dass nur eine

Tür in das Haus führte, weil in der ganzen altenglischen Literatur nie mehrere Türen bei einem Gebäude erwähnt werden" (a. a. O. S. 34). Diese Stelle im Finsburgfragment, besonders die Worte æt ōðrum durum widerlegen Jacobs Ansicht. Es wird in dem Fragmente mehrere Male von zwei verschiedenen Türen gesprochen, an denen gekämpft wird, und Fenster (cfr. Jacobs) können wohl schwerlich mit duru gemeint sein, denn dort konnten nicht mehrere zugleich kämpfen.

Eine zweite Stelle in der angelsächsischen Poesie, aus der man den alten dualischen Gebrauch noch erkennen kann, findet sich in:

Rä. 16[11]: . . . hwonne gæst cume
tō durum mīnum.

Auch hier handelt es sich trotz der pluralen Form nur um singulare Bedeutung (cfr. auch die „Übersetzung der angelsächsischen Poesie" von Grein an dieser Stelle). — Weitere sichere Belege habe ich in der altenglischen Poesie nicht nachweisen können. Plurale Bedeutung dürfte wohl vorliegen bei den Dat. Pl. durum in Rä. 29[7] und Ps. 27[4], wahrscheinlich auch in Fi. 20: in letzterem Falle ist wohl die pluralische Bedeutung vorherrschend mit Rücksicht auf die Vers 14—16 erwähnten beiden Tore. — Beachtenswert ist bei duru wieder, dass — wie bei brēost — gerade der Dat. Pl. es ist, der den alten dualischen Gebrauch noch erkennen lässt. Der Gen. Pl. ist in der angelsächsischen Poesie überhaupt nicht nachweisbar, und der Acc. Pl. ist nicht zu erkennen, da er lautlich mit dem Acc. Sg. völlig identisch ist.

Dass im Althochdeutschen der Gebrauch von „brust" und „tür" völlig dem altenglischen Gebrauche entspricht, weist Wilmanns a. a. O. III 2, S. 725 nach. Die Beispiele können dort leicht eingesehen werden. Besonders im Otfrid lässt sich der alte dualische Gebrauch von brust und turi noch häufig nachweisen (cfr. z. B. O2, 11, [58]: thaz ēr mit gilustin dregit in thēn brustin etc.), indem Pluralformen singulare Bedeutung aufweisen.

Dass auch in anderen indogermanischen Sprachen der Begriff „tür“ gern pluralisch gebraucht wird trotz singularischer Bedeutung, ergibt sich aus der Tatsache, dass got. daurôns (= Vorhalle), altnord. dyrr sowie lat. fores Pluraliatantum sind und dass ferner Homer z. B. griech. πύλαι oder ϑύραι auch zur Bezeichnung einer einzigen Tür verwendet.

Kapitel II
Der Pluralgebrauch bei Körperbezeichnungen

Als Literatur zu diesem Kapitel ist besonders einzusehen die oben genannte Arbeit von Osthoff in den Idg. Forschungen Bd. XX, S. 163 ff. Weiter wurden benutzt: Kluge's Aufsatz „Sprachhistorische Miszellen“ in P. B. B. Bd. VIII, S. 509 ff.; Möller: „Zur Deklination: Germanisch ā, ē, ō in den Endungen des Nomens und die Entstehung des o (a₂)“ in P. B. B. Bd. VII, 490 ff.; van Helten: „Grammatisches“ in P. B. B. Bd. XXXVI, S. 506 ff.; Brugmann-Delbrück a. a. O. Bd. III.

Ich habe mich hierbei nicht streng an die angelsächsische Poesie gehalten, da, wie ich aus den für dies Kapitel eingesehenen Abhandlungen entnommen habe, viele Fälle mit abweichendem Numerusgebrauch sich nur in der altenglichen Prosa nachweisen lassen, während die Poesie meist normalen Gebrauch zeigt. —

Es sollen in diesem Abschnitt weniger die Körperteile behandelt werden, die in der Natur nur einfach vorhanden sind: bei ihnen habe ich — abgesehen von dem in diesem Kapitel noch zu behandelnden heafod — einen normalen Gebrauch konstatieren können. Vielmehr möchte ich hier solche Körperteile berücksichtigen, die entweder in der Natur doppelt vorhanden sind, oder aber — und das ist besonders wichtig — solche, die in früheren Sprachperioden als etwas Gedoppeltes

erschienen, die dann aber in jüngerer Zeit als ein einheitliches
Ganze aufgefasst werden. — Bei der Behandlung des Duals
schreiben Brugmann-Delbrück a. a. O. Bd. III, S. 149 über
die Körperbezeichnungen: „Manche Körperteile, welche in
der Natur doppelt oder mehrfach vorhanden sind, pflegen
wir nicht selten in der Einzahl zu nennen, so z. B. scapulae
= Schulterblätter, genae = Wangen, malae = Kinnbacken,
tonsillae = Mandeln, palpebrae = Brauen, tempora = Schläfen.
Von diesen soll hier nicht die Rede sein, da der Singular von
ihnen ohne Bedenken gebildet werden kann. Dagegen sind
an dieser Stelle diejenigen Fälle zu nennen, in welchen
Körperteile, die uns als Einheit erscheinen, durch Dual- oder
Pluralformen bezeichnet werden, z. B. die ai. Wörter nāsike
= Nase (eigentlich die beiden Nasenlöcher), grīvās = der
Nacken (eigentlich die beiden Nackenwirbel)". —

Auch beim Altenglischen möchte ich mich auf den Fall
beschränken, in welchem ein Körperteil, der uns als Einheit
erscheint, durch Dual- oder Pluralformen ausgedrückt wird.
Es handelt sich um die ehemals dualische Form ae. nosu.[1]
Ganz wie bei den in Kap. I behandelten Wörtern breost und
duru hat bei ae. nosu in den ältesten Zeiten die Vorstellung
des Gedoppelten geherrscht: = die beiden Nasenlöcher. In
jüngeren Sprachperioden hat dann zwar die Vorstellung der
Einheit überwogen, und es ist infolgedessen singulare Verwendung zur Bezeichnung einer einzelnen Nase eingetreten,
aber selbst in dieser jungen Zeit noch lässt sich aus dem
Numerusgebrauch, nämlich aus pluraler Form in singularem
Sinne die alte dualische Anschauung noch deutlich erkennen
(cfr. breost und duru). Das ae. nosu ist in der ags. Poesie
nur sehr spärlich belegbar, und diese wenigen Fälle zeigen
einen normalen Gebrauch. In der ags. Prosa dagegen ist das

---

1) Wegen des Duals ae. sculdru vergleiche James Platt im
6. Bde. der Anglia unter dem Titel „Angelsächsisches: ein wahrer
ags. Dualis". Das bedeutungsgleiche ae . gescyldre / gesculdre (als
dat. pl. nachweisbar in Ps. 90⁴ und Rä. 41¹⁰², Rä. 69⁴) zeigt in der
angelsächsischen Poesie pluraletantischen Gebrauch (cfr. Grein im
„Sprachschatz der angelsächsischen Poesie").

Wort recht häufig nachweisbar und zwar des öfteren mit dem
genannten abweichenden Gebrauch. Besonders stark tritt
auch bei diesem Worte der Dat. Pl. wieder hervor. Nach
Kluge a. a. O. lässt er sich in den altenglischen Leechdōms
sehr häufig nachweisen und zwar mehrere Male in der Bedeutung des Dat. Sg., cfr.: Ld. I 2, 14, 32, 36, 72, 88, 198,
362, 394. — Über die grammatische Erklärung des Wortes
habe ich hier nicht zu handeln, zumal eine Einigkeit unter
den Gelehrten über die Form nosu keineswegs besteht. Mir
kommt es bei nosu nur darauf an, die Tatsache zu konstatieren, dass infolge ehemaliger dualischer Anschauung eine
vom normalen Gebrauche abweichende Verwendung des Nu-
merus im Altenglischen nachweisbar ist. Die Form nosum
als Instr. Sg. auf -mi anzusehen, wie es Cosijn sowie Kluge
in Pauls Grdrss. I², 455 tun, halte ich für falsch. Osthoff
widerlegt diese Ansicht in dem angeführten Aufsatze im
20. Bde. der Idg. Forschungen, S. 188 ff.: „Ihrem singularischen mi-Instrumental weisen Cosijn und Kluge Pauls
Grundriss I², 455 auch das ags. nosum zu, das in den
Leechdōms häufiger für eine einzelne Nase gebraucht vorkommt. Früher hatte Kluge P. B. B. 8, 506 ff., 509, dies
nosum als eine Pluralform betrachtet, die auf Grund der ursprünglichen Dualflexion des alten Wortes für Nase, also in
ähnlicher Weise sich eingestellt habe, wie anerkanntermassen
im Lateinischen und Griechischen die Plurale nārēs und ῥῖνες
den Dual abgelöst haben, später aber, als einer jüngeren
Anschauungsweise die Nase nicht mehr den Eindruck eines
Gedoppelten oder Mehrfachen, sondern den der Einheit machte,
selbst durch die Singulare nāris und ῥίς abgelöst worden
sind, indem jenes bei lateinischen Dichtern, Horaz, Ovid,
Persius u. a., im Sinne von «Nase» anstatt «Nasloch», dieses
schon bei Homer neben dem häufigeren Plural erscheint.
(Cfr. E. Buchholz: Die hom. Realien 2, 2, 228 ff.; Delbrück:
Vergleichende Syntax 1, 142, 159; vergl. auch Brugmann im
Grdrss. 2, 642, 656). Bei dieser früheren Kluge'schen Er-
klärung des ags. nosum hat es zu verbleiben . . .".

Wie man aus den bisher behandelten Fällen unter Ein-
schluss von Kap. I erkennen kann, ist die Behandlung von
alten dualisch gebrauchten Wörtern im Altenglischen eine
ganz eigenartige. Der alte Dual erscheint im Altenglischen
in der verschiedenartigsten Gestalt, nämlich: 1. Die alte
Dualform hat sich erhalten: aus der ganzen ags. Literatur
gibt es hierfür nur ein einziges absolut sicheres Beispiel:
ae. sculdru (cfr. dazu J. Platt a. a. O.); 2. der alte Dualgebrauch geht in junger Zeit in pluraletantischen über, z. B.
ae. gescyldre/gesculdre; 3. der alte Dualgebrauch verrät sich
bei Wörtern, die später singulare und plurale Bedeutung angenommen haben, noch durch häufige Verwendung des Plurals
in singularem Sinne, wie: brēost, duru, nosu (ob bei diesen
Worten auch die Form noch den alten Dual erkennen lässt,
lasse ich hier unentschieden).

In dieses Kapitel gehört, wie schon angedeutet, auch
eine Körperbezeichnung, die in der Natur nur einfach vorhanden ist und der auch schwerlich eine ehemalige dualische
Grundbedeutung, wie sie sich bei ae. nosu einwandfrei nachweisen lässt, zu Grunde liegen kann: ae. *heafod*. Dieses
Wort findet sich im Altenglischen mehrere Male im Dat. Pl.
gebraucht in Verbindung mit der Präposition æt an Stellen,
wo nur von einem einzigen Kopfe die Rede sein kann. Eine
sichere, allgemein anerkannte Erklärung für diese merkwürdige Erscheinung ist von der Forschung bisher noch nicht
gefunden worden. Ich muss daher, da eine allseitig be-
friedigende Lösung noch aussteht, den Standpunkt der einzelnen Gelehrten zu skizzieren versuchen.

Es handelt sich um eine zweifellos erstarrte Redensart
„æt hēafdum" (zu der öfters noch eine nähere Bezeichnung
im Genetiv hinzutritt, z. B. æt his lices heafdum: Kr. 63),
die sich in der angelsächsischen Poesie nur einmal, an der
eben genannten Stelle, findet, in der altenglischen Prosa
hingegen sich mehrere Male, z. B. Blickl. Hom. p. 145,
Cp. Alfreds d. Gr. 100[17] etc. — die einzelnen Stellen sind
von Sweet zur Cp. p. 480 zusammengestellt — nachweisen
lässt. Die Literatur zu diesen Stellen ist eine überaus reiche;

man kann sie sich aus dem schon öfters genannten Aufsatze
Osthoffs: „Gab es einen Instr. Sg. auf -mi im Germanischen?“
in den Idg. Forsch. Bd. XX, S. 163 ff. leicht zusammenstellen.

Vorauszuschicken ist bei der Behandlung dieser Fälle,
dass es sich hier keineswegs um eine speziell nur für das
Altenglische in Frage kommende Erscheinung handelt; dieser
Gebrauch findet sich in den meisten germanischen Sprachen
und lässt sich sogar bei einigen aussergermanischen Sprachen
nachweisen und zwar überall in Verbindung mit einer Präposition. So ist z. B. dem ae. æt hēafdum entsprechend ein
ahd. zi houbiton (mhd. ze houpten, nhd. zu häupten) bei
Otfrid dreimal nachweisbar; so findet sich ein aisländ. at
hǫfþom, aschwed. at hofþum u. a. mehr. Ferner finden sich
ähnliche Verhältnisse, wie Osthoff in seinem Aufsatze nachweist, auch im Armenischen sowie im Slawischen (besonders
im Russischen und Polnischen, cfr. Näheres bei Osthoff) und
im Littauischen.

Einige Forscher nun, unter ihnen besonders Cosijn,
Möller, Gering, neuerdings auch Kluge, haben diesen
Gebrauch zu erklären versucht, indem sie einen alten Instr.
Sg. auf -mi annehmen. Möller sagt z. B. darüber in den
Englischen Studien XIII, S. 272: „mēcum (Beow. 565) und sweor-
dum (Beow. 567) sind wie æt his līces hēafdum (nhd. zu
Häupten) nicht Instrumentale des Plurals, wenn auch viel-
leicht, wie die nhd. Form, vom sprachlichen Gefühl so auf-
gefasst, sondern der (in der pronominalen Deklination im
Engl.-Fries. und Nordischen bestehende, s. Beitr. 7[490])
Instrum. II des Singular mit der Endung ursprünglich -mi
= slav.-mi, parallel dem griech. φι“. Osthoff wendet sich
entschieden gegen diesen Erklärungsversuch in dem genannten
Aufsatze und gibt eine andere Erklärung (cfr. später).

Andere Forscher, unter ihnen besonders Sweet zur
Cura Pastoralis p. 480 — auch Kluge in P. B. B. VIII,
S. 509 ff. stimmte ihm zu, allerdings bedingt — haben bei
hēafod einen dualischen Grundbegriff angenommen
im Sinne von „Schläfe“. Da der Klugesche Aufsatz a. a. O.
das Problem, um das es sich handelt, sehr gut erkennen

lässt, zitiere ich ihn an der betreffeuden Stelle wörtlich:
„Sweet hat an der angeführten Stelle (zur Cp. p. 480) aufmerksam gemacht auf einen eigentümlichen Gebrauch des
Plurals von hëafod mit der Bedeutung eines Singular. Be-
zeugt ist in dieser Bedeutung, was Sweet übersehen hat,
nur das adverbiale æt hëafdum, und wir können, seine Anmerkung ergänzend, die auffällige Übereinstimmung dieser
adverbialen Formel mit unserem „zu häupten", mhd. ze houpten
betonen. Ahd. zi honbitum «im Sinne des Singular» belegt
Graff IV 757 dreimal aus Otfrid, wo neuerdings Piper zu
V 7, 16 bemerkt: «Was der Plural in diesem adverbialen
Ausdruck bedeutet, kann ich aus Otfrids Sprachgebrauch
nicht erkennen; vielleicht ist es nur der Ausdruck ze fuazon,
dem es ja (wenigstens in den Otfridstellen füge ich hinzu)
immer gegenübergestellt ist, analog gebildet». Diese Annahme befriedigt mich nicht; man denke sich ein „zu köpfen"
nach „zu füssen" gebildet! Sweet denkt im Hinblick auf das
plurale brëost für ae. hëafod an einen dualen Crundbegriff
„Schläfe", sodass hëafod eine ähnliche Geschichte hätte wie
brëost. Ausser den von Sweet angeführten Stellen wäre
noch Blickl.-Hom. p. 145 æt hire hëafdan (für hëafdum) zu
vergleichen, wo das Glossar hire fälschlich auf rest statt auf
Maria bezieht: Maria hat sich auf ein Ruhebett gelehnt (wæs
hlëoniende ofre hire reste) und Petrus sass ihr zu Häupten
(æt hire hëafdan sæt Petrus).[1] In der adverbialen Formel
æt hëafdum ist hier wie sonst bei der entsprechenden deutschen
Formel die Gegend des Kopfes an irgend einem Gegenstande
(wie Bett, Sarg, Grab etc.) gemeint, nicht Kopf im eigentlichen Sinne (aber auffällig ist: æt his lices hëafdum auf dem
Ruthwellkreuze V. 63). Vigfússon weist auch im Isländischen
eine, unserem nhd. zu häupten entsprechende Formel nach:
at höföum þorsteins = «at the heads of Thorstein's bed»;
das Eigenartige dieser, wie es scheint, urgermanischen Formel

---

1) „In der von Thorpe ed. ags. Evangelienübersetzung findet
sich — wie man erwartet entsprechend der einen Otfridstelle:
Joh. 20, 12 — ein weiteres Beispiel für æt þäm hëafdum = „zu
häupten". —

besteht darin, dass dabei immer ein persönlicher Genetiv steht, und dass „Haupt" sich immer auf das Kopfende eines Gegenstandes bezieht, auf dem die betreffende Person ruht! Aber wie könnte das zur Erklärung des Plurals beitragen? Allerdings weist Prof. Hübschmann Ähnliches im Armenischen nach, wo das entsprechende Wort snärkh als Pluraletantum = Kopfgegend, Kopfseite an irgend einem Gegenstande bedeuten kann. — Mir könnte es in diesem Zusammenhange (ae. nosu etc.) nahe liegen, an Sweet anzuknüpfen und haubedo- als Umbildung eines alten Duals eines neutralen konsonantischen Stammes aufzufassen (n. acc.*houbed-e?); doch fehlt jede Stütze für Sweets dualischen Grundbegriff, den man bei der grossen Verbreitung des Wortes gern durch kräftigere Indizien gestützt sehen möchte. Hier kam es darauf an, den von Sweet und Piper übersehenen Zusammenhang der auffälligen adverbialen Formel im Nordischen, Angelsächsischen und Hochdeutschen hervorzuheben, wodurch die Altertümlichkeit dieses Gebrauches bewiesen wird. Sodann verdient es Beachtung, dass es ein Dativ ist, der für sonstigen Singular steht; ähnlich erhielt sich ja auch der Dat. Pl. nosum, nachdem der Plural ganz aufgehoben war."

Mit der Hervorhebung des Dat. Pl. æt hēafdum als adverbialer Formel hat Kluge zweifellos Recht. Es ist eine eigentümliche Erscheinung, dass man im Altenglischen und überhaupt auf dem gesamten germanischen Sprachgebiete bei adverbialem Gebrauche den Dat. Pl. in Verbindung mit Präpositionen oder auch den Dat. Instr. Pl. dem Dat. resp. Dat. Instr. Sg. ganz entschieden vorzieht (cfr. später das Kapitel über Orts- und Zeitbezeichnungen sowie das Kapitel über adverbiell gebrauchte abstrakte Begriffe).

Die neuste und wohl ausführlichste Arbeit über das pluralisch gebrauchte hēafod in singularem Sinne hat Osthoff in dem schon mehrfach genannten Aufsatze „Gab es einen Instr. Sg. auf -mi im Germanischen?" in den Idg. Forschungen Bd. XX, S. 163 ff. geliefert. Rechne ich das von Kluge im obigen besonders betonte Moment mit ein, so scheinen mir von allen Erklärungsversuchen die Osthoff'schen Ausführungen den größten Anspruch auf Gültigkeit zu besitzen. Osthoff hält die schon von Piper zu Otfrid 5, 7, 16 gegebene Erklärung, dass der sonderbare Plural ahd. zi houbiton lediglich durch das Muster von ze fuazon veranlasst sei, für zutreffend. Mit Pipers Ansicht erklären sich ferner einverstanden: Paul: „Deutsches Wörterbuch" 207 a; P. J. Fuchs: „Deutsches Wörterbuch auf etymologischer Grundlage" 109 b ff.; Sütterlin: „Die deutsche Sprache der Gegenwart" 143.

Osthoff weist nach, dass sowohl im Altenglischen als auch im Altsächsischen, Altisländischen, Altschwedischen, Althochdeutschen, ja sogar im Slawischen dem Ausdruck «zu häupten» ein «zu füssen» sehr oft korrespondiert: „Das nur bei Otfrid dreimal belegte ahd. zi (zen) houbiton erscheint an den Stellen 5, 7, 15, 16 und 5, 8, 17, 19, 21 nie ohne seinen Revers zi then (zen) fuazon". Ebenso zeigen die altenglischen Beispiele æt þǣm hēafdon etc. meist das korrespondierende æt þǣm fōtum. Im Altisländischen entspricht wahrscheinlich — die in Frage kommende Stelle ist verderbt — einem at hofþom ein at fōtom. Auch das Altschwedische hat der Formel at hofþum den Gegensatzbegriff at fōtum gegenübergestellt. Dabei ist oft die Bedeutungsverschiebung von Kopf» Kopfende analog der Verschiebung von Fuss» Fussende (cfr. schon Kluge in seinem Erklärungsversuch) zu beachten. Bei mehreren der in Frage kommenden Stellen, besonders bei Otfrid und der westsächsischen Evangelienübersetzung, liegt die Bibelstelle Joh. 20, 12 zu Grunde: vidit duos angelos in albis sedentes, unum ad caput et unum ad pedes, ubi positum fuerat corpus Jesu (cfr. Luther: einen zun häupten und den anderen zun füssen). „Selbst die westslawischen Wiedergaben dieser Bibelstelle stimmen in diesem Punkte genau zu den germanischen Formungen derselben Stelle durch Otfried, die westsächsische Bibelübersetzung und Luther." — Wahrscheinlich hat sich, was Osthoff nicht weiter ausführt, der Pluralgebrauch zuerst in diesen Gegensatzverbindungen wie ae. æt hēafdum : æt fōtum bei hēafod festgesetzt. Diese Verwendung wird völlig formelhaft und schliesslich überhaupt nicht mehr pluralisch empfunden; hieraus ist es dann leicht erklärlich, dass auch persönliche Genetive hinzutreten wie in der Stelle Kr. 63: æt his lices hēafdum. — Ich schliesse mich Osthoff völlig an, wenn er sagt: „«Das Eigenartige dieser, wie es scheint, urgermanischen Formel», meint Kluge, «besteht darin, dass dabei immer ein persönlicher Genetiv steht, und dass „haupt" sich immer auf das Kopfende eines Gegenstandes bezieht, auf dem die betreffende Person ruht. Aber wie könnte das zur Aufklärung des Plurals beitragen?». Soweit das „Eigenartige" damit richtig bestimmt ist, gilt diese Bestimmung dann aber genauso auch für das gegenüberstehende zu füssen, ahd. zen fuazon, ags. æt þæm fōtum, aisländ. at fōtom: die entsprechende Verschiebung der Wortbedeutung von „Füsse" zu „Fussende, Fussgegend, -seite" ist hier nicht zu verkennen, und es ist nicht etwa in widersinniger Weise dem Plural „füssen" zuliebe der Singularbegriff „haupt" in den Plural getreten, sondern dem einen ortsadverbialem Ausdruck, der seinem Ursprunge gemäss pluralisch geformt wird, hat sich der gegensätzliche in Hinsicht dieser Formung angeglichen. Wenn man andererseits zu der Erklärung gegriffen hat, in „zu häupten" bestehe «die pluralische Verbindung wohl, um dadurch die ungefähre, nicht ganz scharf bestimmte Richtung nach der Kopfseite hin anzugeben» (Heyne: Grimm's deutsches Wörterb. 4, 2, 598 und derselbe in seinem deutsch. Wörterbuch 2, 1, 71), so war auch dies eben offenbar durch die analoge Bedeutungsentwicklung des „zu füssen" vorgezeichnet gewesen."

Anhang zu Kapitel II.

Da man den abweichenden Numerusgebrauch von Körperbezeichnungen so häufig durch einen Instr. Sg. II auf -mi zu erklären versucht hat, sei mir gestattet, hier anhangsweise zu bemerken, dass fast alle Belege, die man für einen derartigen Instr. Sg. II im Germanischen ins Feld geführt hat — ausgenommen sind nur die im nächsten Kapitel zu behandelnden Fälle ae. sweordum (Beow. 565) und ae. mēcum (Beow. 567) — von Osthoff in dem genannten Aufsatze völlig

widerlegt worden sind. Es dürfte hier wohl besonders die
Osthoffsche Widerlegung der von Cosijn und seinen Anhängern
zur Stützung des germanischen Instr. Sg. II auf -mi angeführten altenglischen Beispiele interessant sein. Diese
altenglischen Beispiele sind:

1. ags. wsächs. meolcum, merc. milcum. Zur Bezeichnung der Milch wird hier der Dat. Pl. verwandt. Sehr viele
Belegstellen gibt Osthoff a. a. O. S. 174; besonders die Hand-
schrift der Læcebōk, die im 2. Bde. der von Cockayne heraus-
gegebenen Leechdōms abgedruckt ist, enthält viele Beispiele.
Osthoff bemerkt dazu: „«die Begriffe der Masse», Bezeichnungen leicht- und dickflüssiger sowie trockener Gegenstände,
Wasser, Milch, Honig, Blut, Eiter, Fett, Fleisch, Rauch,
Raub etc. gehören zu denen, die von Alters her bald singularisch, bald aber auch pluralisch aufgefasst und sprachlich
ausgedrückt wurden, «der Singular stellte sich ein, wo und
wenn die Vorstellung des ununterbrochenen Ganzen überwog,
der Plural, wo und wenn die Teile vorschwebten». Darüber
handelt ausführlich Delbrück: „Vergleich. Syntax" 1, 147 ff."
Bei Delbrück findet sich auch speziell das Wort Milch behandelt, und der pluralische Gebrauch wird dort auch aus
den anderen indogermanischen Sprachen belegt (Ausführliches
cfr. bei Osthoff).

2. Cosijn gibt als Instr. Sg. II auf -mi auch das ags.
lufum an, das adverbial oder an den adverbialen Gebrauch
grenzend = „aus Liebe, aus Gunst" bedeutet. Ich habe
ausführlich über diese Erscheinung in Kap. IX zu handeln.
Um einen Instr. Sg. II auf -mi handelt es sich hier ganz
sicher nicht.

3. Als weiterer Beleg aus dem Angelsächsischen zur
Stützung seines Instr. Sg. II auf -mi kommt für Cosijn Beow.
2353: Grendeles mægum in Frage. Es kann hier mit mægum
nur eine einzige Person, nämlich Grendels Mutter, bezeichnet
sein; in Beow. 1391 wird sie mit deutlichem Singulargenetiv
als Grendles māgan bezeichnet. Osthoff weist nach, dass es
sich hierbei nicht um den Instr. Sg. II handelt, sondern dass
wir hier lediglich eine Erscheinung im Germanischen beob-

achten können, die im Lateinischen und Griechischen durchaus nichts Seltenes ist. Osthoff sagt darüber: „In der Dichtersprache der Griechen und Römer, bei den Lateinern aber auch in der Prosa, ist unter den Fällen der Anwendung der Pluralform von konkreten Substantiven da, wo man den Singular erwarten sollte, verhältnismässig einer der häufigst vorkommenden der, dass Verwandtschaftsnamen in der Mehrzahl gebraucht werden, um eine bestimmte Person zu bezeichnen" (dazu existiert eine reiche Literatur, die Osthoff S. 202 anführt). Osthoff fährt fort: „Man pflegt es den «generellen Plural der Konkreta» zu nennen, dass in solcher Weise der Redende sich der Mehrzahlform als allgemeinerer Bezeichnung bedient, wenn er doch nur ein Individuum, eine einzelne bestimmte Person oder Sache im Sinne hat." — Bei den Griechen und Römern wurde dieser generelle Plural als rhetorisches Hilfsmittel verwandt. Osthoff bemerkt hier: „Warum nicht auch der germanische Beowulf-Dichter von jenem Mittel der rhetorischen Ausdrucksweise, dass er bei einem Verwandtschaftsnamen den «generellen Plural» für den Singular zu setzen sich gestattet, gelegentlich Gebrauch gemacht haben sollte, ist kein Grund einzusehen." Dieser Meinung Osthoffs schliesse ich mich besonders deshalb an, da auch im Altnordischen, besonders in der älteren Edda und späteren altisländischen Dichtungen, dieser Gebrauch vertreten ist (cfr. Osthoff a. a. O. S. 206, wo auch die nötige Literaturangabe aufgezeichnet ist).

Eine andere mögliche Erklärungsweise dieses seltsamen Plurals mægum wäre die, dass man den Plural hier als eine Art Intensivum aufzufassen hat, bei welchem der Plural gesetzt wird, um dadurch Gefühlswerte sprachlich zum Ausdruck zu bringen, nämlich Gefühle des Staunens, der Verwunderung, der Verehrung und dergl. (Noch heute finden sich Reste dieses Gebrauches z. B. im Pluralis majestatis). Ich werde auf diesen Pluralgebrauch in intensivem Sinne noch öfters hinzuweisen haben.

Kapitel III

Der Pluralgebrauch bei Waffenbezeichnungen

Auch bei den Waffenbezeichnungen habe ich, genauso wie bei den Körperbezeichnungen, einige Male — und zwar im Beowulf — einen auffallenden Pluralgebrauch konstatieren können: es steht an diesen Stellen eine pluralische Form in durchaus singularischer Bedeutung. Ausser im Beowulf habe ich diesen Gebrauch in der angelsächsischen Poesie nicht belegen können. — Merkwürdigerweise hat Osthoff in dem genannten Aufsatze „Gab es einen Instr. Sg. auf -mi im Germanischen?" diese Stellen, die, wie aus Möller (Engl. Stud. Bd. XIII, S. 272) ersichtlich ist, als eins der Argumente für das Vorkommen eines solchen Kasus im Altenglischen angesehen werden, nicht berücksichtigt. — Es handelt sich um die beiden Stellen:

Beow.565 u.567: ac on mergenne *mēcum* wunde
   be ȳðlāfe uppe lǣgon,
   sweordum āswefede, . . .

In beiden Fällen kann es sich nur um ein einziges Schwert handeln, nämlich um das, mit dem Beowulf sich bei dem Wettschwimmen mit Brecca gegen die ihn bedrängenden Fische zu verteidigen suchte. Mehrere Schwerter hätte Beowulf bei diesem Wettschwimmen unmöglich mitnehmen können. Ausserdem wird kurz vorher (Beow. 561) von demselben Schwerte in der Singularform gesprochen (Ic him þenode dēoran sweorde). — Zur Erklärung dieses Gebrauches verweise ich auf Brugmann-Delbrück im Grundriss Bd. III. Dort wird ausgeführt, dass einzelne Geräte- und Waffenstücke häufig da pluralisch gebraucht werden, wo es sich nur um eine Waffe, um ein Gerät handeln kann. Brugmann-Delbrück erklären diese Erscheinung daraus, dass die betreffenden Fälle auf eine ursprünglich pluralische Anschauung zurückzuführen sind (cfr. schon duru in Kap. I). Belege aus dem Altindischen, Russischen, Lateinischen etc. werden a. a. O. reichlich gegeben. Auch für unsere beiden altenglischen Beispiele hat diese Erklärung Gültigkeit. Es ist beachtenswert, dass gerade in beiden Fällen das Wort „Schwert" es ist, das den abweichenden Numerusgebrauch zeigt. Das altgermanische Schwert war zweischneidig (cfr. Heyne-Schücking im Beowulfglossar): der Begriff der Doppelheit ist damit gegeben. Man braucht den Plural mit Rücksicht auf die beiden Schneiden auch dann, wenn es sich nur um ein einziges Schwert handelt! Ausserdem ist es sehr leicht möglich, dass das ae. Wort für „Schneide" = ecg, das öfters im Plural (besonders im Dativ resp. Dat. Instr. Pl.) auftritt in der Bedeutung eines einzigen Schwertes, Einfluss auf die beiden Fälle von mecum und sweordum ausgeübt haben kann. Ein solches Beispiel, wo der Dat. Instr. Pl. ecgum von einem Schwerte gebraucht wird, findet sich:

Beow.2140: . . . ond ic heafde becearf
in þām gūðsele Grendeles mōdor
ēacnum ecgum, . . .

(cfr. dazu Heyne-Schücking im Glossar zum Beowulf). Möglicherweise haben wir in diesem Beispiel wieder mit einem Pluralgebrauch des Intensivums zu rechnen, indem der Plural hier gebraucht wird, um die Grösse und Vorzüglichkeit dieser Waffe sprachlich zum Ausdruck zu bringen, um Gefühle des Staunens und der Verwunderung zu bezeichnen.

Auch bei einigen anderen Waffenbezeichnungen liegt ursprünglich pluralische Anschauung und infolgedessen noch abweichender Numerusgebrauch im Altenglischen vor. Plurale Form in singularer Bedeutung findet sich z. B. in dem Dat. Pl. *hiltum* in

Beow.1547: . . . wǣpen hafenade
heard be hiltum Higelāces þegn

(cfr. dazu Heyne-Schücking im Beowulfglossar; cfr. auch H. Sweet: „The Student's Dictionary of Anglo-Saxon", S. 89). Gemeint ist der Griff des Schwertes, mit dem Beowulf dem toten Grendel nach dem Kampfe mit Grendels Mutter den Kopf abschlägt. Die Bedeutung ist also trotz der pluralischen Form singularisch.

Auch als Acc. Pl. habe ich das Neutrum hilt in singularer Bedeutung nachweisen können, z. B.:

Beow. 1614: Ne nōm hē in þam wicum, Weder-Gēata leod
mādmǣhta mā, þēh hē þǣr monige geseah,
būton þone hafelan ond þā *hilt* somod,
since fāge.

Auch hier ist nur ein Schwertgriff gemeint, nämlich
der, den Beowulf aus der Wohnung von Grendels Mutter im
Meere mitnimmt, und der allein übriggeblieben war, nachdem
das Schwert selbst im Blute der Mutter Grendels zerschmolzen
war. — Auch das als Acc. Pl. belegbare *fetel-hilt* in Beow.
1563 zeigt plurale Form in singularer Bedeutung: Hē gefēng
þā fetel-hilt, freca Scyldinga (gemeint ist derselbe Schwertgriff wie oben). Dass hilt auch bei Shakespeare noch gern
pluralisch in singularischer Bedeutung sich findet, weist Franz
in seiner Shakespearegrammatik, S. 31, nach.

Ob der Dat. Pl. *scennum* hier mit einzurechnen ist,
kann ich nicht entscheiden, da man sich über die Bedeutung
(Parierstange? Beschlag des Schwertheftes) noch nicht klar
ist, cfr.

Beow. 1694: Swā wæs on þǣm scennum sciran goldes
þurh rūnstafas rihte gemearcod.

Auch sonst habe ich bei dem Numerusgebrauch der
Waffenbezeichnungen im Beowulf eine Vorliebe für pluralischen
Gebrauch konstatieren können, wenn auch die einzelnen Fälle
nicht so auffallend gebraucht sind wie in den obigen Beispielen. Überall da, wo nicht ausdrücklich auf eine bestimmte
Waffe hingewiesen wird, bedient man sich gern des pluralischen
Gebrauches, sei es in kollektivem Sinne, um eine unindividuell
aufgefasste Menge von Waffen auszudrücken — hier bezeichnet
der Plural nicht eine Mehrheit des Singular, sondern gibt
lediglich einen Hinweis auf Fülle und Mannigfaltigkeit —,
sei es, dass die Anschauungsweise des Angelsachsen eine
mehr individuelle ist als wir sie heute besitzen (Cfr. dazu
Wilmanns a. a. O., Bd. III, S. 720). Auch habe ich im
Beowulf die Beobachtung machen können, dass das formelhafte Element einen grossen Raum bei den Waffen- und
Gerätebezeichnungen einnimmt, was ja auch bei der ausser-

ordentlich grossen Bedeutung, die die Waffen in jener Zeit
hatten, leicht verständlich ist. — Das Vorwiegen des Dat.
resp. Dat. Instr. Pl. sei dabei wiederum konstatiert. — Im
Folgenden gebe ich für jeden der aufgestellten Gesichts-
punkte einige wenige Belege, die keinen Anspruch auf Vollständigkeit machen und sich noch bedeutend erweitern lassen.

a) Der Plural drückt eine unindividuell aufgefasste Menge von Waffen aus in kollektivem Sinne

2 Beispiele mögen hierfür genügen:

Beow.38/40: ne hȳrde ic cymlīcor cēol gegyrwan
    hilde-wǣpnum ond *heaðo-wǣdum*
    billum ond *byrnum;* . . .

Beow.3137 ff: Him þā gegiredan Gēata lēode
    ād on eorðan unwāclīcne
    helmum behongen, *hildebordum,*
    beorhtum *byrnum,* swā hē bēna wæs.

u. s. w.

Hier weist der Plural nicht auf die Mehrheit des Singular
hin, sondern bezeichnet lediglich die Menge und Fülle (cfr.
dazu Weiteres unter Kap. VII).

b) Der Pluralgebrauch erklärt sich aus individueller Anschauungsweise

(cfr. dazu noch Kap. IXb).

Ein typisches Beispiel scheint mir zu sein:

Beow. 2848: þā ne dorston ǣr *dareðum* lācan
    on hyra man-drihtnes miclan þearfe;

Der Angelsachse ist in diesem Beispiel in bezug auf
den Numerusgebrauch sehr genau. Während wir sagen „mit
dem Schwerte in der Hand kämpften sie", setzt der Angelsachse infolge seiner individuellen Anschauungsweise auch
„daroð" in den Plural. Während wir also der isolativen
Ausdrucksweise den Sieg zugestehen über die summative
(resp. kollektive), bevorzugt der Angelsachse die letztere

Vorstellung vor der ersteren (Cfr. dazu auch das ne: They lost their lives).[1]) Doch will ich damit nicht sagen, dass dies immer geschieht. Es ist keineswegs eine seltene Erscheinung im Altenglischen, dass die isolative Ausdrucksform sich durchsetzt. Die Wahl der einen oder anderen Form ergibt sich aus dem Zusammenhang der betreffenden Stelle (cfr. Näheres bei Sievers a. a. O.).

c) Der Pluralgebrauch von Waffenbezeichnungen in festen Formeln

Als feste Formeln kommen Waffenbezeichnungen sehr häufig im Plural vor. Als Beispiele seien erwähnt:

α) Waffenbezeichnungen in Verbindung mit Adjektiv resp. Partic. Perf.

> wæpnum weorðad (Beow. 250, 331 . . .)
> byrnum wered (Beow. 238, 2529 . . .)
> ecgum þyhtig (Beow. 1287, 1558; — unslāw:
> Beow. 2564).

β) Verbindungen zweier Gerät- oder Waffenbezeichnungen als Reimformeln.

Beow. 40: billum ond byrnum
Beow. 1240: bolstrum ond beddum
Beow. 1772: æscum ond ecgum
Beow. 2395: wigum ond wæpnum
Beow. 39: hilde-wæpnum ond heaðo-wædum u. a. mehr.

Das starke Hervortreten des Dativ resp. Dat. Instr. Pl. ist wieder zu beachten.

---

1) Näheres hierzu ist einzusehen in dem vorzüglichen Aufsatze von E. Sievers: „Zum Beowulf" in P. B. B. Bd. XXIX, S. 560 ff.

Kapitel IV

Der Pluralgebrauch bei den Wörtern þȳstru, weder, gewidor, heolstor

Brugmann-Delbrück weisen im Grundriss (cfr. a. a. O.) III, 1 (S. 165) darauf hin, dass gelegentlich die Finsternis oder Dämmerung als etwas, dass sich in Absätzen und Wellen bewegt, in den Plural gesetzt wird. Als Belege führen die Verfasser Beispiele aus dem Altindischen und Russischen an. Auch das lat. tenebrae = Finsternis gehört in diesen Zusammenhang. Diese Erscheinung lässt sich — worauf man bisher noch nicht aufmerksam gemacht hat — auch im Altenglischen, und zwar recht häufig, nachweisen. So habe ich besonders die Wörter þȳstru, weder, gewidor in diesem Sinne pluralisch nachweisen können. Auch bei diesen Begriffen ist es sehr wohl möglich, dass intensiver Pluralgebrauch zur Bezeichnung von Gefühlswerten vorliegen kann.

a) Pluralgebrauch bei þȳstru (= Finsternis)

Hier überwiegt der pluralische Gebrauch ganz bedeutend die singularische Verwendung. Besonders zu beachten ist hier wiederum das überaus starke Hervortreten des Dat. resp. Dat. Instr. Pl.! Ich habe die Belege für pluralische Verwendung aus Greins Sprachschatz (a. a. O.) zusammengestellt und nach den einzelnen Kasus eingeordnet.

1. Der Dat. Pl. þȳstrum/þeostrum

þȳstrum:

Beow. 87:	þā sē ellengæst earfoðlīce
	þrāge geþolode, sē þe in *þȳstrum* bād;
Jul. 333:	þonne hē onsendeð geond sīdne grund
	þegnas of *þȳstrum*
Jul. 524:	. . . þā hē mec fēran hēt
	þēoden of *þȳstrum*
El. 307:	Swā gē mōdblinde mengan ongunnon
	lige wið sōðe, lēoht wið *þȳstrum*

Ps. 106⁹: þā þe hér on *þȳstrum* sǣton

Ps. 81⁵: Ne ongēaton hī ne gēara wiston
ac hī on *þȳstrum* þrāge eodan;

Ps. 106¹³: And he hī of þām *þȳstrum* þanon alǣdde

Ps. 111⁴: Lēoht wæs on lēodum lēofum ācyðed,
þām-þe on *þȳstrum* þrāge lifdon

Ps. 87¹²: Cwīst þū, oncnāwað hī wundru þīne
on þām dimmum deorcan *þȳstrum.*

Rä. 4⁴: þrāfað on *þȳstrum* þrymma summe

þēostrum:

Gen. 127: þā gesundrode sigora wealdend
ofer lagoflōde lēoht wið *þēostrum*

Gen. 144: ... þā cōm ōðer dæg
lēoht æfter *þēostrum*

Cri. 1657: ... dæg būtan *þēostrum*

Cri. 116: ... and in *þēostrum* hēr
sǣton sinneahtes synnum bifealdne

Ps. 87¹¹: Ne on *þēostrum* ne-mæg þances gehygdum
ænig wīslīcu wundor oncnāwan

Ps. 90⁶: Ne forhtast þū þe on dæge flān on lyfte,
þæt þē þuruhgangan gāras on *þēostrum*

2. Der Dat. Instr. Pl. þȳstrum/þēostrum

þȳstrum:

Gen. 76: sūsl þrōwedon *þȳstrum* beþeahte

Jud. 118: ... ne-þearf hē hōpian nō
þȳstrum forþylmed.

Gū. 1255: ... woruld miste ofertēah
þȳstrum biþeahte

Ps. 104²⁴: Hē hī mid *þȳstrum* þrēan æt frymðe,
forþon hīo word heora wel ne-oncnēawon

þēostrum:

El. 767: *þēostrum* forþylmed

Met. 28⁴³: beþeaht mid *þīostrum?*

3. Der Nom. Pl.: þēostru/þȳstru/þȳstro

þȳstru/þȳstro:

Gen. 389: . . .: þæt syndon *þȳstro* and hæto
grimme grundlēase . . .

Kr. 52: . . . *þȳstro* hæfdon
bewrigen mid wolcnum wealdendes hrǣw

Ps. 138⁹: „Wēn is, þæt me *þȳstru* þearle forgrīpen . . .

þēostru/þīostro:

Ps. 54⁶: Egsa mē and fyrhtu ealne ofercwōmon
and mē beþeahton *þēostru* nīðgrim

Ps. 138¹⁰: Ne-bēoð *þēostru* deorc būtan þīnre miht:
þurh þā onlīhtest niht, þæt hēo bið dæge gelīc

Met. 5²¹: Swā nū þā *þīostro* þīnre heortan
willað mīnre lēohtan lāre wiðstondan

4. Genet. Pl.: þēostra/þȳstra

þȳstra:

Cri. 1248: þonne bið þridde, hū on *þȳstra* bealo
þæt gesǣlige weorud gesihð þæt fordōne

Cri. 1386: . . . nysses þū wēan ǣnigne dǣl
þȳstra, þæt þū þolian scolde!

Jul. 554: . . . þā hine sēo fǣmne forlēt
æfter sprǣchwīle *þȳstra* nēosan.

Jul. 419: Saga earmsceapen unclǣne gǣst,
hū þū þec geþȳde *þȳstra* stihtend
on clǣnra gemong?

þēostra:

Gū. 668: *þēostra* þegnas þrēaniedlum bond

Auch das Kompositum *hinderþēostru* zeigt wie das
Simplex pluralischen Gebrauch in:

Ps. 85¹²: And þū mīne sāwle swylce ālȳsdest
of helwarena *hinderþēostrum*.

Zu vergleichen ist auch das bedeutungsgleiche *þrēostru/
þrīostru/þrȳstru*, bei dem ebenfalls der pluralische Gebrauch

den singularischen ganz bedeutend überwiegt (cfr. Grein im „Sprachschatz der angelsächsischen Dichter").

b) Pluralgebrauch bei weder (= Wetter, Witterung)

Die gleiche Erklärung wie bei þӯstru ist auch bei dem Pluralgebrauch von weder anzuwenden. Dieses Wort lässt sich im Beowulf ausschliesslich pluralisch und in der übrigen angelsächsischen Poesie sehr oft im Plural nachweisen.

Als Beispiele seien angeführt:

1. Dat. Pl.: wederum

Gn. C. 42: þēof sceal gangan in þӯstrum *wederum*

2. Dat. Instr. Pl.: wedrum

Exod. 118: . . . þӯ lǣs him wēstengryre
hār hæð holmegum *wedrum*
ō fērclamme ferhð getwǣfde
Met. 28[45]: hwӯ hī ne scīnen scīrum *wederum*
before þære sunnan

3. Nom./Acc. Pl.: weder

Beow. 1136: þā þe syngāles sēle bewitiað,
wuldortorhtan *weder.*

(Grein im „Sprachschatz" sieht diese Form als Nom. Pl. an, während es sich nach Heyne-Schücking (cfr. Glossar) um den Acc. Pl. hier handelt.)

Andr. 1258: weder cōledon heardum hægelscūrum

Weniger gut sind die Beispiele für den

4. Gen. Pl.: wedera, da hier der Gen. Pl. immer in einem Abhängigkeitsverhältnis zu einem Superlativ steht, und in diesem Falle wendet der Angelsachse ja meist den Plural an. — Cfr. z. B.

Dan. 350: wedera cyst
Beow. 546: wedera cealdost
Sal. 310: wedera þeostrost.

c) Pluralgebrauch bei gewidor (= Witterung, Gewitter)

Wie bei þystru und weder ist auch bei gewidor der Pluralgebrauch sehr beliebt. In der altenglischen Poesie lässt sich gewidor sogar ausschliesslich pluralisch nachweisen, sodass man hier den Gebrauch als pluraletantisch bezeichnen könnte. — Als Beispiele seien angeführt Belege für den

Nom. Pl. gewidru.

Beow. 1375: þonne wind styreð lað *gewidru*
Met. 11[61]: . . . sumor æfter cymeð,
            wearm *gewidru!*
Menol. 90: . . . þætte yldum bringð
            sigelbeorhte dagas sumor tö tüne
            wearm *gewidru.*

d) Pluralgebrauch bei heolstor (= Versteck, Dunkelheit).

Auch heolstor zeigt einmal wie die bisher behandelten Fälle pluralische Verwendung. heolstor = got. hulistr = lat. tenebrae, latebrae. Es lässt sich belegen als Dat. Pl. in

Gū. 54: wuniað on wēstenum, gesittað
        hāmas on heolstrum.

Allerdings bin ich hierbei nicht sicher, ob nicht bei heolstrum eine Beeinflussung durch den voraufgehenden Dat. Pl. westenum stattgefunden hat.

Dass die gleichen Erscheinungen, die man hier für das Altenglische beobachten kann, auch im Althochdeutschen sich finden, weist Wilmanns in seiner Grammatik (cfr. a. a. O.), S. 719 nach. Als Belege gibt Wilmanns: O. 3, 8, [11] findet sich thiu wētar = tempestates; O. 2, 19, [22] regana = pluviae (Regengüsse). Auch hier erklärt sich der Plural aus der Vorstellung des in Wellen und Absätzen sich Bewegenden. Auch die individuelle Anschauungsweise soll dabei eine Rolle gespielt haben, wie Wilmanns nachweist, und dieses Moment dürfte auch für die behandelten altenglischen Beispiele mit in Frage kommen. Auch in den später noch zu behandelnden Kapiteln ist die ausserordentlich individuelle Anschauungsweise des Germanen ein wichtiger Faktor, den man bei einem abweichend vom normalen Gebrauche verwandten Plural immer mit berücksichtigen muss.

Kapitel V

Der Pluralgebrauch bei Ortsbezeichnungen

Benutzt wurden für dieses Kapitel besonders Wilmanns a. a. O., Bd. II 2, Brugmann-Delbrück im Grundriss Bd. III und H. Jacobs: „Die Namen der profanen Wohn- und Wirtschaftsgebäude und Gebäudeteile im Altenglischen", Kieler Diss. 1911.

In diesem Kapitel möchte ich die Fälle behandeln, in denen im Altenglischen Ortsbezeichnungen in den Plural treten auch da, wo nur von einem einzelnen Orte die Rede ist, wo man also den Singular erwarten sollte. Besonders häufig lässt sich dies nachweisen bei der Bezeichnung von Wohnorten, Gehöften etc. Bisher hat man auf diese Fälle wenig oder garnicht aufmerksam gemacht. Nur Herm. Möller weist einmal in einer kurzen Anmerkung im Anz. f. d. A. Bd. X, S. 220 auf einen merkwürdigen Pluralgebrauch von „burgum" hin. — Diese Erscheinung einer pluralisch gebrauchten Ortsbezeichnung in singularischem Sinne findet sich nicht nur im Altenglischen, sondern lässt sich auch in anderen germanischen Sprachen, besonders häufig im Gotischen und Althochdeutschen nachweisen. — Als Beleg für das Gotische führt Wilmanns in seiner Grammatik folgendes Beispiel an:

Mc. 14 [14]: saliþwôs

> ƕar sind saliþwôs, þarei paska matjau (= das
> Gasthaus, wo ich esse).

cfr. ferner:

Phil. 22: saliþwôs

> manwei mis saliþwôs (= bereite mir die Herberge).

45

In beiden Fällen ist nur von einer einzigen Wohnung die Rede.

Auch gotische Ortsbezeichnungen wie hlaivasnos (= Totenstätte) und veinatriva (= Weinberg) sind zu vergleichen. Als Belege fürs Althochdeutsche nennt Wilmanns: *selida*, das bei Otfrid oft im Plural gebraucht wird zur Bezeichnung eines Hauses, ebenso *inouva* = Wohnsitz. Auch die Wörter für «Heimat» finden sich im Althochdeutschen gern im Plural, wo singularische Bedeutung vorliegt. Besonders oft ist dies der Fall bei: *inheim, heimingi*, ferner *ëbonôtî* (O. 1, 23, ₂₄) und andere mehr. Auch *stat* wird häufig pluralisch gebraucht, wo nur von einer Stätte die Rede ist (oft in Verbindung mit einem Adjektiv), z. B. O. 2, 4, ₂: in stetti filu wuaste (cfr. nhd. — stetten in Ortsnamen).

Erdmann will auch das oft behandelte zeinen brunnon (cfr. Ztschr. f. d. Phil. XXIV, S. 315 hierher rechnen. Besonders interessant sind noch einige Beispiele aus Otfrid: 3, 15, ₃₆: zen stettin filu wîhên = Jerusalem; Otfrid 2, 14, ₁: zen heimingon = nach der Heimat. Im Nhd. ist ausser -stetten in Ortsnamen auch -kirchen, -brunnen, -hausen u. a. mehr zu beachten: sie alle sind Ortsnamen, die aus dem mit ze verbundenen Dat. Pl. hervorgegangen sind.

Ähnliche Erscheinungen finden sich auch im Altindischen, Griechischen, Litauischen und Lateinischen, wie Brugmann-Delbrück a. a. O. Bd. III, S. 162 ff. ausführen. Als Beispiel sei hier das Lateinische angeführt, wo templa z. B. neben templum zur Bezeichnung eines einzigen Tempels gebraucht wird, und wo ferner Worte als Pluraliatantum verwendet werden (castra, rostra, horti = Lustgarten, lapicidinae = Steinbruch, augustiae = Engpass usw.), deren Bedeutung durchaus singularisch ist.

Im Altenglischen lassen sich diese Fälle von pluraler Verwendung eines in singularem Sinne gebrauchten Substantivums des Ortes sehr häufig nachweisen, wie die folgenden Ausführungen ergeben werden.

Die Erklärung dieser Erscheinung macht für die Wohnsitzbezeichnungen keine Schwierigkeiten. Es handelt sich in allen diesen Fällen, wo bei Gehöftbezeichnungen etc. für singulare Bedeutung eine pluralische Form gesetzt wird, um Ortsbezeichnungen, die in gemeingermanischer und wohl auch schon in urgermanischer Zeit nie aus einem einzelnen Gebäude bestanden, sondern die sich stets aus mehreren Gebäuden, aus Gebäudekomplexen zusammengesetzt haben. Alle die verschiedenen Gebäude, die zu einem germanischen Gehöfte gehörten — und es waren sehr viele —, werden unter einem einheitlichen Namen zusammengefasst, und dieser Name tritt dann häufig, obwohl nur singulare Bedeutung vorliegt, mit Rücksicht auf die unter ihm sich vereinigenden verschiedenen Teile, gern selbst in den Plural. Auf diese Weise ist es zu erklären, dass das gotische saliþwôs (= Wohnung, Herberge) sich fast ausschliesslich pluralisch nachweisen lässt; auf diese Weise erklärt es sich, dass das ahd. selida und inouwa sich so häufig pluralisch gebraucht finden in Fällen, wo offenbar singularische Bedeutung vorliegt. Und dass diese Erscheinung nicht nur für das Germanische, sondern auch für andere indogermanische Sprachen Geltung gehabt haben muss, beweisen die schon genannten lateinischen Beispiele wie templa usw.

Nun könnte man dagegen einwenden, dass auch Ortsbezeichnungen, die nicht einen bestimmten Wohnort (Gehöft etc.) im Auge haben, sondern die allgemeinerer Natur sind, diese merkwürdige Verwendung zeigen. Erklärlich wird aber diese Erscheinung dadurch, dass hier einmal eine Übertragung von den Gebäudebezeichnungen aus vorliegen kann. Bei letzteren ist der plurale Gebrauch in singularer Bedeutung ja sehr häufig nachweisbar, und so liegt die Annahme nahe, dass von hier aus — und zwar käme der Dat. und Dat. Instr. Pl. als Zentrum der Bewegung in Frage — eine Beeinflussung stattgefunden hat auf Ortsbezeichnungen allgemeinerer Art, bei denen an ein aus einzelnen Teilen sich zusammensetzendes Ganze (wie bei den Gehöftbezeichnungen) nicht gedacht werden kann. Ich rechne hierher z. B. das ahd. oft pluralisch gebrauchte heimingi, das ae. hâm mit seiner häufigen pluralischen Verwendung u. a. mehr. — Dazu

kommt bei den allgemeineren Ortsbezeichnungen noch als
zweites, vielleicht wichtigeres Moment hinzu, dass — wie in
Kap. VII noch näher zu erörtern ist — in vielen Fällen der
Pluralgebrauch dem Singular vorgezogen wird, um dadurch
den Begriff der Grösse und Ausdehnung einer solchen Ortsbezeichnung besser zu veranschaulichen. Es spielt hier
wiederum das hinein, was ich als Pluralgebrauch des Intensivums bezeichnet habe. Auch hier wird der Plural verwandt,
um starke Gefühlswerte zum Ausdruck zu bringen (so z. B.
bei allen Bezeichnungen für den Begriff „Heimat").

Für das Altenglische möchte ich dann speziell noch auf
einen Faktor bei dem pluralischen Gebrauch von Ortsbezeichnungen in singularischer Bedeutung aufmerksam machen,
der mir in den übrigen germanischen Sprachen (Gotisch und
Althochdeutsch kommen besonders in Frage) weniger aufgefallen ist. Im Altenglischen nämlich erstarren viele dieser
pluralisch gebrauchten Ortsbezeichnungen in singularischem
Sinne zu formelhaften, typischen Wendungen. Besonders häufig, ja fast ausschliesslich lässt sich dies — wie
es sich ja bei Ortsbezeichnungen, die so häufig auf die Frage
«Wo» stehen, von selbst ergibt — im Dat. Pl. nachweisen.
Das formelhafte Gut, das sich hier im Altenglischen, speziell
in der altenglischen Poesie findet, ist ausserordentlich gross.
Man empfindet in diesen formelhaft gebrauchten Wendungen
garnicht mehr den pluralischen Gebrauch und wendet sie
ohne weiteres auch auf den Singular an.[1] — Die Be-
hauptung, dass das Gehöft des Germanen, speziell das des
vornehmen Germanen — und von diesem ist in der Poesie
ja fast ausschliesslich die Rede — sich aus einem Gebäudekomplex zusammengesetzt habe, habe ich Jacobs, a. a. O.
S. 25 ff. entnommen. Der Verfasser führt dort über das germanische Gehöft im allgemeinen und über das altenglische
Gehöft im besonderen ungefähr Folgendes aus: Zu jedem

Hierzu ist zu vergleichen die Heliandausgabe von Eduard Sievers
(Halle 1878), in deren Anhange über formelhafte Wendungen im
Heliand gehandelt wird, (cfr. Formelverzeichnis), die häufig eine
Parallele zu dem altenglischen formelhaften Gebrauche bilden.

germanischen Gehöfte gehörten ziemlich viele Einzelhäuser,
da für jeden Wirtschaftszweck ein besonderes Gebäude errichtet wurde. Die Angelsachsen bauten ihre Gehöfte, für
die die Gesamtbezeichnungen hof, hām, geard, burh, tūn, haga
und fæsten begegnen, mitten auf ihrem Grundbesitz, nicht
in Dörfern, und umgaben zum Schutze gegen feindliche Überfälle jede Anlage mit einem Walle (weall), der gewöhnlich
aus Erde aufgeführt und von einer lebenden Hecke oder
einem Pallisadenzaun gekrönt war (= eodor). (Zu beachten
ist, dass dies eodor zuweilen als Gesamtbezeichnung für den
ganzen Gebäudekomplex, den es umschliesst, gebraucht wird,
und in dieser Bedeutung steht es ebenso wie die oben genannten Gesamtbezeichnungen gern im Plural trotz singularen
Sinnes, cfr. später.) Die Einfriedigung war durch das Tor
(geat, port) unterbrochen, durch das man auf den inneren
Hofplatz gelangte. Hier lagen die Wohn- und Wirtschaftsgebäude sowie die Stallungen. „Und zwar waren ausser
mehreren Wohnhäusern für jeden Wirtschaftszweck
ein besonderes Gebäude errichtet," wie die vielen
Komposita von hūs (bæchūs, weorehūs etc., cfr. Jacobs) erkennen lassen! Die Anzahl der zu einem Gehöfte gehörigen
Gebäude war verschieden und abhängig von dem Reichtum
und der Stellung des Besitzers.

So ist es auch möglich, dass ein einzelnes, nur zu einem
ganz bestimmten Zweck errichtetes Gebäude wie z. B. die
Empfangshalle (heal, salor, palent, træf, bold, botl) den merkwürdigen Gebrauch einer pluralen Form in singularer Bedeutung nicht haben. Es sind nur die alle einzelnen Gebäude
unter einem Namen zusammenfassenden Gesamtbezeichnungen,
die diese Verwendung zeigen. Doch muss ich hierbei einschränkend bemerken, dass sich diese Verwendung nicht bei
allen Gesamtbezeichnungen gleich stark vertreten findet.
Einige, z. B. burh, wīc, geard zeigen sie sehr häufig, andere
wie card haben sie seltener und manche (z. B. haga und
fæsten) weisen überhaupt nur normalen Gebrauch auf. Es
dürfte dies wohl sicherlich mit der Häufigkeit des Gebrauchs
des betreffenden Wortes zusammenhängen. Wichtig zu merken

ist auch, dass, sobald eine nähere Bestimmung — besonders Adjektiva kommen hier in Frage — zu einer Gesamtbezeichnung hinzutritt, man den pluralen Gebrauch für singulare Bedeutung konsequent gemieden hat. Es überwiegt dann eben die Vorstellung des Ganzen und nicht die der einzelnen Teile (cfr. die einzelnen Bezeichnungen).

a) Pluralgebrauch bei Wohnortbezeichnungen
(Gehöfte etc.)

1. Gesamtbezeichnungen.

In Frage kommen hier die schon genannten Bezeichnungen des angelsächsischen Gehöftes: burh, wīc, geard, eard, eodor, hof, hām, haga, fæsten. Zuerst behandle ich die Gesamtbezeichnung

burh.

Über die Etymologie von burh cfr. Jacobs a. a. O. S. 50; auch die sonstige Literatur zu diesem Worte findet sich dort verzeichnet. — Die ursprüngliche Bedeutung von burh ist = „befestigter Platz, ein von einem Erdwall umgebener Wohnort". Dieser Wohnort schliesst, zumal ja burh meist mit Rücksicht auf den Wohnsitz eines Fürsten gebraucht wird, mehrere Gebäude in sich zusammen.

Pluralen Gebrauch in singularer Bedeutung habe ich bei burh besonders im

α) *Dat. Pl.* feststellen können. Besonders lässt sich der formelhafte Gebrauch hier häufig beobachten.

Beispiele:

Beow. 53: þā wæs on *burgum* Bēow(ulf) Scyldinga

Gemeint ist hier offenbar nur ein einziger Königssitz, eine Burg. Der Dat. Pl. in singularer Bedeutung erklärt sich hier sehr leicht durch die Vorstellung an die einzelnen Gebäude, die zu einem Königssitze gehörten. So ist wenigstens der ursprüngliche Gebrauch zu denken. Dass der Beowulfdichter freilich noch die Vorstellung der verschiedenen Teile gehabt und deshalb den Plural gesetzt hat, kann man nicht behaupten. Wahrscheinlicher ist, dass die Verbindung þā wæs on burgum völlig formelhaft geworden ist in der Bedeutung „leben", und dass sie vom Beowulfdichter so aufgenommen worden ist, ohne dass der pluralische Gebrauch im Bewusstsein noch als solcher empfunden wurde. — Dieselbe Erklärung trifft für folgende Stellen aus dem Beowulf zu:

Beow.1968: . . . tō þæs þe eorla hlēo,
    bonan Ongenþēoes *burgum in innan*
    geogne gūðcyning gōdne gefrugnon.

Auch hier ist die Bedeutung durchaus singularisch. Gemeint ist Hygelācs Burg, die Beowulf bei seiner Rückkehr aus dem Grendelkampfe aufsucht. Die Formel lautet hier burgum in innan.

Dieselbe Formel trifft man in:

Beow.2452: . . .; ōðres ne gȳmeð
    tō gebīdanne *burgum in innan*

Es ist die Rede von dem alten Vater, der seinen einzigen Sohn verloren hat, und der nun auf einen anderen nicht hoffen kann in „seiner Burg".

Aus der übrigen altenglischen Poesie lässt sich die gleiche Formel belegen in:

Jul. 691: . . . ungelīce wæs
    læded lofsongum līc hāligre
    micle mægne tō moldgræfe
    þæt hȳ hit gebrōhton *burgum in innan*
    sīd folc micel

Gemeint ist: die Leiche der Juliana wird in die Burg getragen.

Ebenso cfr.:

Gū. 1341: . . . Nū sē eorðan dæl
    bānhūs ābrocen *burgum in innan*
    wunað wælræste and sē wuldres dæl

Gemeint ist: Gūðlācs Leichnam liegt drinnen in der Burg.

Eine Abweichung in der Präposition zeigt:

El. 1057: þæt hē gesette on sacerdhād
    in Jerusalem Judas þām folce
    tō biscope *burgum on innan*

Judas wird vom Bischof Eusebius in der Burg zum Bischofe geweiht.

Weitere Beispiele für pluralischen Gebrauch in singularer Bedeutung, bei denen aber das formelhafte Element nicht so stark hervortritt, finden sich in:

Bow. 2433: næs ic him tō līfe laðra wihte

beorn *in burgum* þonne his beorna hwylc.

Beowulf überschaut vor dem Drachenkampfe sein Leben und erinnert sich daran, wie er in Hrēðels Burg mit Hygelac zusammen erzogen wurde.

Gen. 2562: . . . þā þæt fȳrgebræc

lēoda līfgedāl Lothes gehȳrde

brȳd *on burgum.*

Loth's Frau, die «Braut in der Burg» hört den Untergang von Sodom und Gomorra.

Cri. 530: . . . hyht wæs genīwad

blis *in burgum* þurh þæs beornes cyme.

Christus fährt auf gen Himmel, und dort, in der himmlischen Burg, ist man erfreut über sein Kommen. „in burgum" entspricht hier dem lat. in coelo. Der Plural steht hier, wie ich glaube, wohl weniger infolge der Vorstellung an die einzelnen Teile der himmlischen Burg, als vielmehr mit Rücksicht auf ihre Erhabenheit, Grösse und Ausdehnung (dem roderum, heofenum in Kap. VII entsprechend). Auch dürfte das formelhafte Element hier wieder eine Rolle spielen.

Andr. 78: . . . þȳ-læs ic lungre scyle

āblended *in burgum* æfter billhete

þurh hearmcwide heorugrædigra

. . . leng þrēowian.

Mathäus ist von seinen Feinden, den Mermedonen, gefangen, geblendet und in die Burg der Stadt geschafft worden. Hier bittet er den Herrn um Befreiung.

Andr. 231: þā wæs ærende æðelum cempan

āboden *in burgum.*

Andreas erhält in seiner Burg von Gott den Auftrag, Mathäus zu befreien.

Andr. 1549: þær wæs yðfynde *innan burgum*

gēomorgidd wrecen gehðo mænan.

Diese Formel innan burgum scheint mir eine Nachahmung des im Beowulf gebrauchten burgum in innan zu
sein (Nb. Andreas = Nachahmung des Beowulf). — In der
Stadt der Mermedonen ist eine Überschwemmung eingetreten.
Man sucht sich vor ihr in die Burg zu retten. Allerdings
bin ich hier nicht ganz sicher. Es könnten mit innan burgum
auch die einzelnen Häuser der Stadt gemeint sein. — Ein
sicheres Beispiel aber bietet wieder:

Gū. 914:   . . . hē on elne swā þēah
          ungeblȳged bād beorhtra gehāta
          blīðe in burgum.

Gūðlāc erwartet in seiner Wohnung die Verheissungen.

El. 412:   Ēodon þā fram rūne, swā him sīo rīce cwēn
          bald in burgum beboden hæfde.

Die Kaiserin entlässt in ihrer Burg die Leute nach
der Beratung.

El. 992:   . . . Næs þā fricgendra
          under goldhoman gād in burgum
          feorran gefērede.

Die Boten der Kaiserin Elene verkünden dem Könige
in Rom die Auffindung vom Kreuze Christi. Man fragt die
Boten in der Burg aus.

El. 1062:   . . . nama wæs gecyrred
          beornes in burgum on þæt betere forð,
          æ hælendes.

Judas wird in der Burg umgetauft und Cyriakus
genannt.

An. 1157: þā wæs wōp hæfen in wera burgum
          hlūd heriges cyrm, hrēopan friccan:

Es ist hier wohl nur von einer Burg, nämlich der der
Mermedonen die Rede. Doch ist es nicht unmöglich, dass
burgum wie in Andr. 1549 vielleicht auch die einzelnen
Häuser der Stadt bezeichnen kann. „in burgum" würde
dann „in der Stadt" bedeuten.

In einigen weiteren Fällen bin ich mir ebenfalls nicht
klar, ob der Dat. Pl. singulare oder plurale Bedeutung hat.
Ich gebe hiervon nur die Belegstellen: Gen. 2583; Seef. 28;

Phön. 389; Alm. 7; Ps. 54[8]. An einigen dieser Stellen dürfte wohl singularische Bedeutung zu Grunde liegen. Sicherlich pluralische Bedeutung dagegen hat burgum meiner Ansicht nach in Rä. 4[40, 51], 6[9], 9[6], 35[1], 80[2], 89[6]; Exod. 510; Jul. 11; Gū 855; El. 972; Met. 5[3], 29[23]; Dan. 9; Sat. 215; Andr. 335 und 1237.

Neben diesen Fällen, in denen für singulare Bedeutung der Dat. Pl. burgum gesetzt wird mit Rücksicht auf die einzelnen Gebäude der Burg, meist in formelhaftem Gebrauche, muss auch der Dat. Sg. byrig kurz betrachtet werden. Hier ist die Vorstellung der einzelnen Teile nicht vorhanden. Man denkt an die Burg als einheitliches Ganze und setzt infolgedessen die singularische Form, falls nicht wirklich eine Mehrzahl von Burgen gemeint ist, wie es in den oben angeführten Stellen der Fall ist. — Bemerkenswert ist, dass der singularische Gebrauch, in welchem also die Burg als ein einheitliches Ganze vorgestellt wird, sich meist in Verbindung mit Adjektiven und Substantiven (cfr. schon S. 48) nachweisen lässt, die die Burg näher bestimmen und spezialisieren. Zuweilen wird der Dat. Sg. byrig auch von einer adverbialen Bestimmung begleitet. Ich habe in der altenglischen Poesie mit Hilfe von Greins „Sprachschatz" byrig 47 mal belegen können. 41 Beispiele davon tragen eine Apposition irgendwelcher Art, meist ein Adjektiv oder Substantiv (und zwar sind dies folgende Stellen: Gen. 1928, 2013, 2558; Exod. 66; Dan. 38, 54, 95, 188, 206, 673; Jud. 203, 327; Sat. 624; Cri. 461, 519, 542, 569; Phön. 475, 588, 633; Beow. 1199; Edg. 3; Andr. 40, 287, 975, 1493, 1651; Jul. 545, 665; Gū. 1164; El. 822, 864, 1006, 1054, 1204; Ps. 72[16], 77[54, 67], 107[9]; Metr. 1[37]), während nur 6 Beispiele ohne Apposition vorhanden sind (Gen. 2406, 2592; Dan. 192; Rä. 30[5]; Ps. 78[3]; Hy. 3[27]).

β) Der Gen. Pl. in singularer Bedeutung

Ausser dem Dat. Pl. habe ich bei burh nur noch den Gen. Pl. an einer Stelle in singularischer Bedeutung nachweisen können. Cfr.:

El. 152:   Wige geweorðod cōm þā wīgena hleo
þegna þrēate þryðbord stēnan
beadurōf cyning, *burga* nēosan
Der König Konstantin kommt nach der Schlacht zurück,
um seinen Königssitz aufzusuchen. Auch hier ist der
pluralische Gebrauch nur durch die Vorstellung an die einzelnen Gebäude dieser Königsburg erklärbar.

Alle übrigen Kasus von burh habe ich in der angelsächsischen Poesie nur normal gebraucht gefunden: Der
Singular steht, wenn von einer einzigen Burg die Rede ist,
der Plural, wenn es sich um mehrere Burgen handelt.

Im Anschluss an das Simplex burh habe ich auch die
mit burh gebildeten Komposita untersucht. Ich habe dabei
folgende Beobachtung machen können: Soll bei einem Kompositum von burh durch den komponierten Bestandteil eine
ganz bestimmte Eigenschaft ausgedrückt werden, die nur
dieser und keiner anderen Burg zukommt, so setzt man den
Plural nur dann, wenn es sich tatsächlich um eine Mehrzahl
von Burgen der betreffenden Art handelt. Ist der komponierte Bestandteil dagegen nur ein schmückendes Beiwort
ohne spezifizierende Bedeutung, so kann man öfter — genau
so wie beim Simplex burh selbst — den Plural da finden,
wo singularische Bedeutung vorliegt. Freilich sind diese
Fälle nicht allzu häufig zu belegen und lassen sich seltener
als beim Simplex nachweisen. Die schmückenden Beiworte
ohne spezifizierende Bedeutung sind ja im Angelsächsischen
nichts Seltenes und lassen sich besonders bei komponierten
Eigennamen oft nachweisen, wie z. B. Komposita in der
Form Gār-Dene, Beorht-Dene für die einfache Bezeichnung
Dene im Beowulf durchaus nichts Seltenes sind. — In der
angelsächsischen Poesie habe ich folgende Komposita von
burh mit Hilfe von Greins „Sprachschatz" nachweisen können:

1. Komposita mit spezifizierendem Bestandteil
ealdorburh $=$ arx regia $=$ Himmel; nur einmal als
Acc. Sg. normal gebraucht in Rä. 60[15]: (godes ealdorburh).

frēo-burh $=$ arx regia $=$ Königsburg; einmal als Acc.
Sg. zu belegen in Beow. 693; normal gebraucht.

mæg-burh = 1. familia, stirps, tribus, gens; völlig spezifizierend. Normal gebraucht als Nom. Sg. in: Rä. 21²⁰, Hö. 91, Gen. 1695, 1703, 2193; Gen. Sg.: Gen. 1132, 2220; Beow. 2887; Dat. Sg.: Gen. 2825, Wy. 62; Acc. Sg.: Rä. 16²⁰; Gen. 1066, 1123; Exod. 55; 2. Genealogie, Stammbaum; ebenfalls völlig spezifizierend. Acc. Pl.: Exod. 360; Gen. Pl.: Exod. 352.

2. Komposita mit nicht spezifizierendem Bestandteil

Zum grössten Teile herrscht auch hier normaler Gebrauch, wie folgende Komposita zeigen:

freoðo-burh = arx, Burg;

einmal als Acc. Sg. normal gebraucht zu belegen in Beow. 522.

hēah-burh = arx excelsa, arx;

nur normaler Gebrauch; Acc. Sg.: Gen. 2517; Beow. 1127; Dat. Sg.: Dan. 699; Acc. Pl.: Gen. 1821.

hlēo-burh = Schutz gewährende Burg, arx; normal gebraucht als Acc. Sg. in Beow. 912, 1731.

hord-burh = arx vel urbs thesauros continens, arx;

normal als Acc. Sg.: Beow. 467; als Acc. Pl.: Gen. 2007. (Sodom und Gomorra).

rand-burh = arx (clipeis ornata);

normal als Nom. Pl.: Exod. 463; als Dat. Pl.: Jul. 19.

scild-burh = arx;

Dat. Sg.: Sat. 309, übertragene Bedeutung = scutorum testudo: Nom. Sg.: By. 242; Acc. Sg.: Jud. 305.

stān-burh = arx (lapidea);

normal gebraucht als Acc. Pl.: Gen. 2212.

weder-burh = (dem Wetter ausgesetzte) Burg; Acc. Sg.: An. 1699.

wyn-burh = (Freuden-) Burg;

normal gebraucht als Dat. Pl. in Ps. 127².

Abweichenden Gebrauch dagegen zeigen folgende Komposita mit nicht spezifizierendem Bestandteil:

gold-burh = arx (auro ornatus);

Dass gold hier nur schmückendes Beiwort ist, kann man daran erkennen, dass auch andere Verbindungen wie gold-sele etc. sich finden. Normal gebraucht ist das Wort als Acc. Sg. in Andr. 1657. Pluralischer Gebrauch in Singularbedeutung dagegen findet sich in:

Gen. 2549: . . . Līg ealle fornam
þæt hē grēnes fond *goldburgum* in.

Obwohl vorher stets nur von einer Burg die Rede war, in der Loth geweilt hatte, wird hier plötzlich bei derselben Burg der Dat. Pl. verwandt.

lēod-burh = arx (populi);
(ebenso lēod-geard)

Normaler Gebrauch findet sich im Dat. Sg. in Gen. 2501. Abweichender Gebrauch dagegen liegt vor in:

Bēow. 2471: eaferum læfde, swā dēð ēadig mon,
lond ond lēodbyrig, þā hē of lífe gewāt.

Offenbar ist mit lēodbyrig nur eine einzige Burg, nämlich die Königsburg Hrēðels gemeint.

medo-burh = arx;
(ebenso medo-ærn, medo-heal, medo-seld)

normal gebraucht als Dat. Sg. in Jud. 167. Abweichend indessen vorkommend in *Bo. 16*: þenden gít mōston on *medo*-burgum eard weardigan, an lond būgan.

Gemeint ist der Wohnsitz, den der vertriebene Gatte mit seiner Gemahlin bewohnt hat.

wīn-burh = arx;
(ebenso wīn-ærn, wīn-geard, wīn-ræced, wīn-sæl, wīn-seld)

normal gebraucht als Acc. Sg. in An. 1639, Dan. 58; als Gen. Sg. in Dan. 622, Ps. 79[12]; als Dat. Sg. in An. 1674; als Gen. Pl. in Wī. 77 und als Dat. Pl. in Mōd. 14. — Abweichender Gebrauch dagegen liegt sicherlich vor in:

Jul. 83:   Ic þæt geswerge þurh sōð godu
swā ic āre æt him æfre finde
oððe, þēoden, æt þē þīne hyldu
wīnburgum in . . .

Es kann hier nur eine einzige Burg gemeint sein,

nämlich die, in der Julianas Vater und der reiche Freier über
den Widerstand der Jungfrau beraten (= die Burg des Freiers).
(Die einzelnen Komposita sowie deren Belege habe ich aus
Greins „Sprachschatz" entnommen. Näheres ist dort einzusehen.)

wīc.

Auch wīc ist wie burh ein Sammelbegriff, eine die
einzelnen Teile des germanischen Anwesens unter einem
Namen zusammenfassende Gesamtbezeichnung. In späterer
Zeit, wo man — entgegen der ursprünglichen Sitte — die
Anwesen in Dörfern anlegte, nimmt es die Bedeutung «Dorf»
an. Für die altenglische Periode aber ist diese Bedeutung
noch nicht anzusetzen, vielmehr heisst wīc hier nur „Wohn-
ort, Aufenthaltsort, Anwesen"; zuweilen allerdings wird der
Gebrauch auch schon allgemeiner in der Bedeutung „Ort,
Stätte". — Viel häufiger als bei burh kann man bei
wīc einen abweichenden Pluralgebrauch nachweisen. Diese
Verwendung ist sogar soweit gegangen, dass man den Dat.
Sg. z. B. überhaupt nicht belegen kann, sondern nur den
Dat. Pl. und zwar selbst da, wo singulare Bedeutung mit
durchaus spezifizierender Bestimmung vorliegt. In den anderen
Kasus sind die Verhältnisse etwas günstiger für den Singular,
aber auch hier hat sich pluralischer Gebrauch in singula-
rischer Bedeutung stark festgesetzt.

Die Erklärung dieser Erscheinung ist die gleiche wie
bei burh. wīc als Gesamtbezeichnung für die verschiedenen
einzelnen Gebäude des germanischen Anwesens tritt häufig
mit Rücksicht auf diese verschiedenen Teile in den Plural an
Stellen, wo singulare Bedeutung vorliegt. Die überaus individuelle
Anschauungsweise des Germanen ist also auch hier wieder
zu betonen: er denkt an die einzelnen Teile seines Gehöftes
stärker als an das Gehöft als Ganzes. Dazu kommt auch
bei wīc wiederum oft ein Erstarren der Pluralform zu formelhaftem, typischen Gebrauche.

Besonders häufig ist dies wieder im Dat. Pl. der Fall.
Ich beschränke mich im Folgenden bei der Aufzählung der
Fälle mit abweichendem Gebrauche, in denen also für singu-
lare Bedeutung eine plurale Form sich findet in der Haupt-

sache auf den Dativ als Hauptkasus. Nur einige Fälle der übrigen Kasus werde ich berücksichtigen.

α) Der Dat. Pl. und Dat. Instr. Pl. in singularer Bedeutung

Beow. 1612: (dat.) Ne nōm hē *in þǣm wīcum*, Weder-Geata leod māðmǣhta mā, þeh hē þǣr monige geseah!

Gemeint ist hier mit „in þǣm wīcum" die Wohnung von Grendels Mutter auf dem Meeresgrunde, also nur eine einzige!

Beow. 1304: (dat.) . . . Cearu wæs genīwod
geworden *in wīcum*.

Gemeint ist Hrōðgār's Burg, wo Grendels Mutter durch ihren Überfall neuen Schrecken erregt hat.

Gen. 2804: (dat.) þā sē wer hyrde his waldende,
drāf *of wīcum* drēorigmōd tū
idese of earde and his agen bearn.

Abraham treibt hier sein Kebsweib Agar und seinen eigenen Sohn Ismael aus seiner Wohnung hinweg.

Gen. 2273: (dat.) Ic flēah wēan, wana wilna gehwylces,
hlǣfdigan hete, hēan *of wīcum*
tregan and tēonan.

Das Kebsweib Agar ist aus dem Hause der Sara entflohen.

Gen. 1563: (dat.) þā þæt geēode, þæt sē ēadega wer
on is wīcum wearð wīne druncen

Noah ist einst in seiner Wohnung betrunken.

Gen. 1738: (dat.) . . . On þām *wīcum* his
fæder Abrahāmes feorh gesealde.

An diesem Wohnsitze gab Abrahams Vater seinen Geist auf.

Gen. 2570: (dat.) nū sceal heard and stēap
on þām *wīcum* wyrde bīdan.

Die Bedeutung ist hier allgemeiner zu fassen als „Ort, Stelle". Es ist hier die Rede von Loth's Frau, die sich auf der Flucht noch einmal nach dem brennenden Sodom und Gomorra umwendet, und die dafür zur Salzsäule erstarrt an „dieser Stelle". (Cfr. Grein im „Sprachsatz"). Die Bedeutung ist hier sicherlich singularisch.

Gen. 2881: (dat.) Rincas mine, restað incit hër
on *þissum wīcum!*

Auch hier ist die allgemeine Bedeutung „Stätte, Stelle"
anzunehmen. Abraham lässt seine Leute an einer Stelle
warten, bis er Isaak geopfert habe.

Gen. 2061: (dat.) . . . hlyn wearð on wīcum
scylda and sceafta, . . .

Hier liegt die Bedeutung des lat. in castris vor. Abraham und seine Krieger weilen im Lager zur Befreiung
Loth's. Dieselbe Bedeutung findet sich in

Exod. 200: (dat.) Forþon wæs on wīcum wōp ūp āhafen,
atol æfenlēoð.

Auch hier ist nur von einem Lager, dem der Kinder
Israel die Rede. Ausser im Beowulf und in der Genesis
habe ich den Dat. Pl. wīcum in singularer Bedeutung noch
nachweisen können in:

Gū. 867: (dat.) Oft tō þām wīcum weorude cwōmun
deofla deaðmægen duguða bescyrede.

Auch hier ist nur singulare Bedeutung vorhanden; gemeint ist die Wohnung Guðlāc's.

Möd. 7: (dat.) þæt ic sōðlīce siððan meahte
ongitan be þām gealdre godes āgen bearn
wil-gæst on wīcum . . .

Gemeint ist die Wohnung des Sprechenden. In diesem
Beispiel scheint mir das on wīcum völlig formelhaft gebraucht
zu sein.

Den Instr. Pl. wīcum in singularer Bedeutung habe ich
nachweisen können in:

Beow.3083: Ne meahton we gelæran lēofne þēoden,
rīces hyrde ræd ænigne,
þæt hē ne grette goldweard þone,
lete hine licgean, þær hē longe wæs,
wīcum wunian oð woruldende.

Es handelt sich hier um die Wohnung des Drachen.

Gen. 1812: þær ræsbora þrāge siððan
wīcum wunode . . .

Gemeint ist die Wohnung Abraham's.

In einigen Füllen des Dat. resp. Dat. Instr. Pl. ist es
mir zweifelhaft, ob singulare Bedeutung vorliegt, so z. B.
in: Rä. 50⁴, Menol. 29 und Mōd. 46. Pluralische Bedeutung
dagegen ist sicher anzunehmen in; Ph. 470, 611; Rä. 9⁷,
72²⁵; Gen. 1890; Ps. 77⁵⁵. — Aus diesen Zusammen-
stellungen kann man leicht erkennen. dass der Dat. resp.
Dat. Instr. Pl. von wīc öfter in singularem als in pluralem
Sinne gebraucht wird.

Bei den übrigen Kasus findet sich diese Erscheinung
nicht so häufig.

β) Der Genetiv Pl. in singularer Bedeutung

Hier ist es die sicherlich formelhaft gewordene Verbindung wīca nēosan, die eine plurale Form in singularer
Bedeutung aufweist. Als Belege führe ich an:

Beow. 125: . . . þanon eft gewāt
  hūðe hrēmig tō hām faran,
  mid þære wælfylle wīca *nēosan.*

Gemeint ist mit wīca die Wohnung Grendels.

Gū. 1339 wird dieselbe Formel von Gūðlāc gebraucht,
der nach seinem Tode die himmlische Wohnung aufsucht.
Doch ist an dieser Stelle auch pluralische Bedeutung nicht
undenkbar. Diese liegt sicherlich vor in *Beow. 1125.*

γ) Der Nom./Acc. Pl. in singularer Bedeutung

Im Nom. Pl. lässt sich singulare Bedeutung nur selten
nachweisen. Ein gutes Beispiel bietet Met. 21¹². Auch
Ps. 83¹ dürfte sich hier einordnen lassen.

Der Acc. Pl. kommt in singularer Bedeutung ebenfalls
einige Male vor. Doch brauche ich hierfür wohl keine besonderen Beispiele anzuführen, da der Gebrauch der behandelten Kasus schon eine genügende Übersicht gestattet.
— Wie bei burh seien auch bei wīc die Komposita mit behandelt. Auch hier trifft man wie beim Simplex selbst
öfters auf pluralische Formen in singularischer Bedeutung, und
zwar lässt sich auch hier wie bei den Kompositis von burh
die Erscheinung beobachten, dass es gerade die Komposita
mit nicht spezifizierendem Bestandteil sind, die abweichenden

Gebrauch erkennen lassen. — Ich habe nach Greins „Sprachschatz" folgende Komposita von wīc in der altenglischen Poesie belegen können:

deáð-wīc = Totenstätte ; durchaus spezifizierend. Einmal als Acc. Sg. belegbar mit normalem Gebrauche in Beow. 1275 von Grendel, der nach seiner Verwundung den deáð-wīc aufsucht.

eard-wīc == Wohnstätte ; keine spezifierende Bedeutung. Nur normal gebraucht als Acc. Sg. in Ph. 431 und als Gen. Pl. in Reb. 15 (von cyst abhängig).

fyrd-wīc = castra ; nicht spezifizierend, denn auch das Simplex wīc hatte ja in Exod. 200 und in Gen. 2061 die Bedeutung = lat. castra. Als Nom. Sg. ist es in Exod. 129 mit normalem Gebrauche belegbar. Abweichend gebraucht wird es dagegen als Dat. Pl. zur Bezeichnung eines einzigen Lagers in:

Jud. 220: . . . siððan Ebrēas
            under gūðfanum gegān hæfdon
            tō þām fyrdwīcum

here-wīc = castra ; ebenfalls ohne spezifizierende Bedeutung. Abweichend gebraucht wird es als Dat. Pl. in:

Gen. 2051: Hildewulfas herewīcum nēh
            gefaren hæfdon.

Gemeint ist nur ein Lager, nämlich das, welches Abraham bei der Befreiung Loth's bezogen hat.

hrǣ-wīc = Walstatt, locus cadaverum ; spezifizierende Bedeutung. Einmal als Acc. Sg. normal gebraucht zu belegen in Beow. 1214.

geard.

Näheres über die Etymologie und die Bedeutung des Wortes geard findet sich bei Jacobs a. a. O. S. 44; auch die Literatur über dies Wort wird hier angegeben. Die Grundbedeutung von geard ist „umgürteter eingezäunter Hof, Wohnung, Wohnsitz". Wie burh und wīc ist auch dies Wort eine Gesamtbezeichnung, unter deren Namen einzelne Teile, einzelne

Gebäude eines grösseren Häuserkomplexes sich vereinigen, und
wie burh und wīc wird auch geard als Gesamtbezeichnung
häufig trotz singularischer Bedeutung pluralisch gebraucht mit
Rücksicht auf die einzelnen Teile. Auch alle anderen Momente,
die sich bei dem abweichenden Gebrauch von burh und wīc
nachweissen liessen (wie starkes Hervortreten des Dat. Pl.,
Überwiegen des formelhaften Elementes) finden sich bei geard.

α) Der Dat. Pl. in singul. Bedeutung

Folgende Stellen lassen sich nachweisen:

Beow. 13: þæm eafera wæs æfter cenned
geong in *geardum* . . .

Die Rede ist hier von dem Sohne, der Scyld Scēfing in
seiner Burg geboren wird. Also liegt nur singulare Bedeutung
vor. Der Gebrauch „geong in geardum" erscheint mir völlig
formelhaft. Ein weiteres Beispiel bietet:

Beow. 2459: . . . nis þær hearpan swēg
gomen *in geardum*

Gemeint ist hier Hrēðel's Schloss. Hrēðel lebt nach
seines Sohnes Tode freudlos in der Burg. — Singulare Bedeutung liegt auch vor in:

Beow. 1138: . . . fundode wrecca,
gist of *geardum*

Hengest sucht aus Finn's Schloss, wo er gegen seinen
Willen festgehalten wird, zu entkommen.

Beow. 265: . . . ǣr hē on weg hwurfe,
gamol of *geardum.*

Die Verbindung „hweorfan of geardum" ist von Ecgþēow
gebraucht in der Bedeutung „sterben". Ursprünglich: aus der
(Ecgþēow's) Burg hinausgehen. Völlig formelhafter Gebrauch.

Aus der übrigen altenglischen Poesie belege ich nach
Grein's „Sprachschatz" folgende Dat. Pl. in singularer Bedeutung:

Cri. 201: . . . ac mē ēaden wearð
geongre *in geardum,* þæt mē Gabrihel
heofenes hēahengel hǣlo gebodade,

Gemeint ist die Jungfrau Maria, der der Engel Gabriel
in ihrem Hause Heil verkündet hat.

Phön. 355: . . . þonne sē æðeling bið
  giong in geardum
Es ist von Phönix die Rede, der in seiner Wohnung
(Grein übersetzt: auf seinem Eilande) lebt. Diese Stelle erinnert stark an Beow. 13.

Ph. 647: . . . Swā Fenix bēacnað
  geong in geardum godbearnes meaht;
Es ist dieselbe (eine) Wohnung gemeint wie in Ph. 355.
Wiederum formelhafter Gebrauch.

Gu. 1194: . . . and on morgne swā
  ongeat gēomormōd gæstes spræce
  glēawes *in geardum.*
Der Diener Gūðlāc's redet mit seinem Herrn und spricht
von dem fremden Gast, der sich in seines Herrn Wohnung
gezeigt hat. Durchaus singulare Bedeutung.

Ph. 578: . . . lædeð siððan
  fugel on fōtum tō frēan *geardum*
  sunnan tōgēanes.
Es handelt sich hier um die himmlische Wohnung
des Vogels; dem lat. „in coelum" entsprechend; der Plural
kann hier auch gebraucht sein mit Rücksicht auf die Grösse
dieses Wohnsitzes.

Rä. 44²: Ic wāt indryhtne æðelum dēorne
  giest in geardum
Auch hier liegt singulare Bedeutung vor. Diese Stelle
erinnert stark an Beow. 1138. Der formelhafte Gebrauch
ist nicht zu verkennen. — Aufmerksam machen möchte ich
bei allen diesen Beispielen auf das häufige Vorkommen von
Adjektiven, die ein Alter bezeichnen, in Verbindung mit dem
Dat. Pl. geardum, wie geong in geardum (cfr. Beow. 13;
Cri. 201; Phön. 355, 647) und gamol of geardum (Beow. 265);
auch die Verbindung gist in (of) geardum scheint beliebt
gewesen zu sein (Beow. 1138; Rä. 44²).

Vom Beowulf-Dichter wird häufig auch die Formel in/of
geardum verwandt; er braucht sie in seinem Gedichte nicht
weniger als viermal. Ähnlich liegen die Verhältnisse im
Phönix. — Einen Dat. Sg. habe ich bei geard — wie schon

bei wīc — überhaupt nicht in der angelsächsischen Poesie nachweisen können.

β) Der Nom./Acc. Plur. in singularer Bedeutung

Häufiger als bei burh und wīc kommt bei geard im Nom./Acc. Pl. singulare Bedeutung vor. — Als Beispiele seien angeführt:

Gen. 740: and þurh þīn micle mōd monig forlēton
on heofonrīce hēahgetimbro,
gōdlīce *geardas.*

Adam und Eva mussten die göttliche Wohnung (= das Paradies) verlassen.

Beow. 1134: . . . . oðþæt ōðer cōm
gēar in *geardas*

Gemeint ist hier mit „in geardas" auch nur eine einzige Wohnung, nämlich Finn's Schloss (cfr. Heyne-Schücking im Glossar zum Beowulf).

Singulare Bedeutung dürfte auch vorliegen in dem Acc. Pl. geardas in Sal. 415. Nicht sicher, ob singulare oder plurale Bedeutung vorliegt, bin ich bei dem Acc. Pl. geardas in Rä. 21[8]. Sicher liegt pluralische Bedeutung vor in dem Nom. Pl. geardas in Gen. 511. — Auch die Komposita von geard seien kurz behandelt. Ich habe aus Grein's „Sprachschatz" folgende nachweisen können:

eador-geard = domus venarum (Körper);
völlig spezifizierende Bedeutung. Kommt als Ortsbezeichnung nicht in Frage. Normal gebraucht findet es sich als Acc. Sg. in An. 1183.

eard-geard = locus habitationis;
nicht spezifizierend. Einmal als Acc. Sg. in Wand. 85 normal gebraucht, desgl. als Dat. Sg. in Cri. 55.

fæder-geard = domicilium patrium;
als Dat. Pl. einmal zu belegen in singularer Bedeutung in *Gen. 1053:* . . . Him þā Cain gewāt
gongan gēomormōd gode of gesyhðe,
winelēas wrecca and him þā wīc gecēas
ēastlandum on, ēðelstōwe
fædergeardum feor . . .

Gemeint ist: fern vom Wohnsitz des Vaters. — *frið-geard* = domicilium pacis, asylum; einmal als Dat.Pl. in singularer Bedeutung nachweisbar in: *Cri. 399*: hwylc hyra nehst mæge ussum nergende

flyhte lācan *friðgeardum* in

„friðgeardum in" gibt die lat. Bedeutung „in coelo" wieder. — In beiden Fällen (fædergeardum sowie friðgeardum) scheint mir der abweichende Gebrauch durch Beeinflussung von Seiten des Simplex geardum aus erfolgt zu sein, da ja beide Wörter spezifizierende Bedeutung haben, wo sonst der abweichende Gebrauch gemieden wird.

lēod-geard = civitas, territorium metropolis; spezifizierende Bedeutung. Normal gebraucht als Acc. Sg. in Gen. 229, 1225 und 1773.

middan-geard = Erde; durchaus spezifizierende Bedeutung. In der gesamten angelsächsischen Poesie wird das Wort nur singularisch gebraucht.

wīn-geard = vinea; spezifizierende Bedeutung. Normal gebraucht als Acc. Sg. in Gen. 1558, Ps. 79[8, 14]; als Dat. Sg. in Ps. 127[3]; als Nom. Pl. in Ps. 77[47], 104[29]; als Dat. Pl. in Met. 19[9];

wyrm-geard = serpentum habitaculum; spezifizierende Bedeutung. Normal gebraucht als Nom. Pl. in Sal. 469.

Als weitere Gesamtbezeichnung für die Teile des altenglischen Gehöftes kommt in Frage:

eard

Zur Etymologie cfr. Grimm: D. W, I 568. Die Bedeutung von eard ist «Grund, Grundbesitz, Aufenthaltsort, Wohnung, Wohnort». Bei diesem Worte kann man das Auftreten von Pluralformen in singularem Sinne nicht allzu häufig beobachten, viel weniger als bei wīc/burh/geard. Einige Fälle lassen sich aber doch nachweisen. — Bei eard muss man beachten, dass von der Grundbedeutung «Wohnort» aus allmählich eine Bedeutungsverschiebung sich vollzogen hat, indem zuerst die Bezeichnung eines bestimmten Ortes verallgemeinert und mit «eard» ein beliebiger «Ort» bezeichnet werden kann. Die Bedeutung eard = «Erde» (cfr. Grein im „Sprachschatz" und Sweet a. a. O.) sowie die völlig übertragene Bedeutung «conditio» lasse ich hier unberücksichtigt. Für unsere Zwecke kommt nur die Ortsbezeichnung «Wohnort» und «Ort» im allgemeinen in Frage. In letzterer Bedeutung habe ich eard ausschliesslich singularisch in normalem Gebrauche belegen können (cfr. Nom. Sg. in Rä. 85⁶ und Acc. Sg. in Beow. 1377). Die Bedeutung «Wohnort, Wohnung» dagegen wird einige Male abweichend vom normalen Gebrauche verwandt, und singularische Bedeutung wird durch pluralische Form wiedergegeben. Diese Fälle sind:

Beow 1621: (Nom. Pl.) wæron ȳðgebland eal gefælsod,

eacne eardas, þā sē ellorgāst

oflēt līfdagas.

Mit «eardas» ist hier die Wohnung von Grendel's Mutter gemeint; es liegt also trotz der pluralen Form singulare Bedeutung sicherlich vor. Der Pluralgebrauch erklärt sich auch hier durch Rücksichtnahme auf die einzelnen Teile oder aber auf die Grösse und Ausdehnung dieser Wohnung. — Abweichender Gebrauch scheint mir auch vorzuliegen in:

Sat. 13: ac ic sceal on flyge and on flyhte þrāgum

earda nēosan and ēower mā,

þe þæs oferhȳdes ord onstealdon

Mit «earda nēosan» ist die Hölle gemeint. Auch hier ist singularer Sinn anzunehmen. — Weiter ist zu vergleichen:

Gen. 2705: . . . þær wit earda lēas

mid wēalandum winnan sceoldon

Gemeint ist Abraham und Sarah, die ihres Erbsitzes verlustig gehen und in der Fremde umherziehen müssen. — Berechtigt dagegen ist der Pluralgebrauch bei eard meiner Meinung nach infolge pluraler Anschauung in den Acc. Pl.: Gū. 268, 322; Ps. 103[11] und im Gen. Pl.: Hy. 7[29, 74]. — Sonst habe ich von eard in der Bedeutung «Wohnung, Wohnort» nicht weniger als 79 mal den Singular belegen können, wovon 16 Beispiele dem Dat. Sg. zufallen. — eard in der Bedeutung «Erde» habe ich nicht näher untersucht, da «Erde» als Ortsbezeichnung infolge seiner spezifizierten Bedeutung doch nur in geringem

Masse in Frage kommt. Der Singular lässt sich ziemlich häufig nachweisen, der Plural kommt nur dann vor, wenn von bestimmten Teilen der Erde gesprochen wird, sodass allerdings hier eine ähnliche Erscheinung wie bei den Gehöftbezeichnungen vorliegt. — Die Bedeutung „conditio" lässt sich nur einmal als Acc. Pl. belegen. Sie kommt hier nicht in Frage. — Die Komposita von eard sind:

ēðel-eard = Wohnort;
einmal als Dat. Instr. (Lokat.) vorkommend in
Gen. 1495: Abraham wunode eðeleardum
Cananēa forð.

Abraham wohnte weiterhin in den Wohnsitzen der Kananiter. Der Gebrauch dürfte hier wohl normal sein.

herh-eard = Wohnung im Hain;
einmal zu belegen als Acc. Sg. in Kl. 15.

middan-eard[1]) = Mittelwohnung, Erde; die gleiche Bedeutung wie middan-geard, vielleicht aus dieser Form erst entwickelt. Es ist nur singularisch belegbar und zwar: Nom. Sg. in: Sat. 165, Hy. 9^{88}; Acc. Sg. in: Sat. 272, Hy. 6^{17}, 7^{120}, 9^{49}, Ps. 137^6, 144^{12}.

samod-eard = gemeinsamer Wohnort (habitatio communis);
einmal als Acc. Sg. normal gebraucht in Gū. 1346.

wīc-eard = Wohnstätte;
einmal als Acc. Sg. belegbar in Gū. 907.

Zu den Gesamtbezeichnungen des altenglischen Gehöftes gehört auch:

eodor/edor

(cfr. dazu Heyne-Schücking im Glossar zum Beowulf). Die ursprüngliche Bedeutung von eodor/edor (cfr. schon S. 47) ist «Umfriedung, Zaun, Gitter», und zwar ist die Umfriedung gemeint, die das gesamte germanische Anwesen umschliesst und es vom fremden Besitz trennt. Innerhalb dieses Zaunes gelten Friedens- und Schutzbestimmungen so gut wie im Hause selbst. Daher wird eodor zuweilen statt des Begriffes «Haus» selbst verwandt, und zwar findet man es in dieser Bedeutung

---

1) cfr. dazu Bülbring; „Altenglisches Elementarbuch" 1. Teil Lautlehre, Heidelberg 1912.

meist pluralisch gebraucht selbst da, wo von einem einzigen Hause die Rede ist. Ich glaube, dass diese Erscheinung des abweichenden Pluralgebrauches sich auch durch die Vorstellung an die einzelnen Gebäude, die von dem Zaune eingeschlossen werden, erklären lässt. Oder sollte man wirklich an eine Mehrzahl von Zäunen gedacht haben?

Folgende Beispiele sind für die Form «eodor» zu vergleichen: *Beow. 1037*: Heht þā eorla hlēo eahta mēaras,

    fæted-hlēore on flet tēon

    in under eoderas:

Gemeint ist hier die Halle Heorot, in welcher Hrōðgār dem Beowulf acht Rosse zum Geschenk anbietet. Trotz der pluralischen Form liegt also nur singularische Bedeutung vor. Die Wendung «in under eoderas» scheint mir völlig formelhaft zu sein. Für die Form «eodor» habe ich weitere Belege eines pluralischen Gebrauches zur Bezeichnung von Wohnorten in singularischem Sinne nicht finden können. Einmal, Jul. 113, kommt der Gen. Pl. eodera vor, doch steht er hier in der Bedeutung «Welt, regio» (gescop heofon and eorðan and holma bigong, eodera ymbhwyrft): hier dürfte der Plural mit Rücksicht auf die Grösse und Ausdehnung gebraucht sein. — Sonst findet sich die Form «eodor» stets in singularem Gebrauche entweder in der abstrakten Bedeutung «Schutz» oder in der konkreten «Schützer».

Als Belege für die Form «edor» seien angeführt: *Gen. 2445*: . . . Hie on þanc curon

    æðelinges ēst, ēodon sōna,

    swā him sē Ebrisca eorl wīsade,

    in under edoras.

Es kann sich hierbei nur um singulare Bedeutung handeln. Gemeint ist die Wohnung Loth's, zu der Abraham und seine Gefährten kommen. — Cfr. ferner: *Gen. 2487*: . . . him fylston wel

    gystas sine and hine of gromra þā

    cuman ārfæste clommum ābrugdon

    in under edoras . . .

Hier ist dasselbe Haus wie in Gen. 2445 gemeint, nämlich die Wohnung Loth's, in die Abraham vor den anstürmenden Sodomitern gerettet wird.

Plurale Bedeutung dagegen liegt vor in Wa. 77. Als Kompositum lässt sich *lyft-edor* = Luftbehausung nachweisen und zwar einmal als Acc. Pl. in Exod. 251. Es dürfte hier wohl pluralische Bedeutung vorliegen: bīdon ealle þā gen, hwonne sīöboda (= die Feuersäule) leoht ofer lindum lyft-ederas bræc (d. i.: in der Luft vorwärts schritt; Luftbehausung = Luft; cfr. Grein im „Sprachschatz"). — In der singularen Form eodor/edor habe ich die Bedeutung «Haus» nie nachweisen können. — Bemerken möchte ich noch, dass die formelhaft gewordene Wendung in under eoderas/in under edoras (cfr. Gen. 2445, 2487 und Beow. 1037) sich auch im Altsächsischen als undar ederos im Heliand 151[1] nachweisen lässt.

Eine häufig gebrauchte Gesamtbezeichnung für die einzelnen Teile des altenglischen Gehöftes ist auch:

hof

Vergleiche dazu Jacobs a. a. O. S. 40 ff., wo auch die Etymologie sowie die Literatur dieses Wortes aufgezeichnet ist. Die Grundbedeutung des altenglischen hof ist «Einzäunung, Wohnstätte»; die weitere Bedeutung ist «Gut, Gehöft, Herrenhof». Bei dieser Gesamtbezeichnung muss die Vorstellung an die einzelnen Teile des Gehöftes nicht herrschend gewesen sein. Vielmehr muss man hier an das Gehöft als an ein einheitliches Ganzes gedacht haben, denn in der ganzen altenglischen Poesie habe ich nicht einen einzigen Fall nachweisen können, bei welchem, wie es bei den bedeutungsgleichen Bezeichnungen wīc, burh, geard etc. so häufig sich zeigte, eine pluralische Form in singularischer Bedeutung steht. Der Dat. Pl., der bei den bisher behandelten Wörtern sich öfter nachweisen liess mit abweichendem Numerusgebrauch, ist bei hof nur einmal und zwar in normaler Verwendung belegbar in Beow. 1836. Der Nom./Acc. Pl. kommt einige Male vor (Andr. 840; Ruin. 30; Beow. 2213; Bo. 7; Gen. 1380), aber immer nur in pluraler Bedeutung. — Dagegen ist der Singular sehr häufig nachweisbar und zwar besonders der Dat. Sg., der sich nicht weniger als 13 mal belegen lässt, oft allerdings in Verbindung mit einem

spezifizierenden Adjektiv oder Substantiv oder in übertragener
Bedeutung: so wird z. B. die Arche Noa's auch als hof bezeichnet (Gen. 1393, 1489), so dient hof an mehreren Stellen
dazu, die Bezeichnung Tempel wiederzugeben etc. — Merk-
würdig aber ist es z. B., wenn die Wohnung von Grendel's
Mutter, die doch ausserordentlich gross und vielteilig gewesen
sein muss, und deren Bezeichnungen deshalb ausschliesslich
pluralisch gebraucht werden in singularischer Bedeutung (cfr. wicum: Beow. 1612 u. cfr. ēacne eardas in Beow. 1621) in der
Bezeichnung hof in singularischer Form wiedergegeben wird
(cfr. Beow. 1507). Erklärlich ist dies nur dadurch, dass bei hof
die individuelle Anschauungsweise nicht vorhanden ist, die man
bei den bisher behandelten Gesamtbezeichnungen so häufig findet.

Auch die zahlreichen Komposita von hof lassen dies erkennen. Nicht ein einziges Mal lässt sich hier eine plurale
Form in singularer Bedeutung nachweisen. — In der altenglischen Poesie sind folgende Komposita von hof zu belegen:

ceaster-hof = aedes urbis (cfr. Grein's „Sprachschatz“);
einmal normal gebraucht als Dat. Pl. in Andr. 1239 (plurale
Bedeutung).

gæst-hof = domus hospitalis, hospitium; Dat. Sg. in Cri. 821.

gnorn-hof = domus maestitiae, carcer; Dat. Sg. in Andr.
1010, 1045.

grorn-hof = domus maestitiae, infernum; Dat. Sg. in Jul. 324.

morðor-hof = Hölle; Dat. Sg. in El. 1303.

mearc-hof = in der Gemarkung liegender Hof; Nom. Pl.
in Exod. 61.

heolstor-hof = aedes latebrosa; Acc. Pl. in El. 764 (plurale Bedeutung).

sand-hof = Sandhof; Dat. Sg. in Gū. 1169.

stān-hof = Steinhof; Nom. Pl. in Ruin. 39 (plurale Bedeutung).

sūsl-hof = Hölle; Dat. Sg. in Hy. 10[81].

ȳð-hof == domus marina, navis; Acc. Sg. in Gen. 1316;
Acc. Pl. in El. 252 (plurale Bedeutung).

Bei den meisten dieser Komposita mag sich der normale Gebrauch auch aus der durchaus spezifizierten Bedeutung ergeben.

Weitere Gesamtbezeichnung des altenglischen Gehöftes ist
hām
Die Bedeutung von ae. hām ist «domus, domicilium,
liegender Güterkomplex, possessio, Heimat». Zur Etymologie
cfr. Jacobs a. a. O. S. 43. Einen klar hervortretenden abweichenden Gebrauch, d. h. ein Eintreten der pluralischen Form
in singularischer Bedeutung habe ich bei ae. hām als Gehöftbe-
zeichnung nicht nachweisen können, es sei denn, dass ich das
Beispiel Seel. 70 hier anführen könnte, wo der Acc. Pl. hāmas
in übertragener Bedeutung angewandt wird, um eine Wohnung,
den menschlichen Körper, zu bezeichnen. Das Beispiel lautet:

Seel. 70:　　sceal ic þē nihtes swā þeah nēde gesēcan
　　　　　　synnum gesārgod and eft sōna fram þē
　　　　　　hwcorfan on hancred, þonne hālige men
　　　　　　lifiendum gode lofsang dōð,
　　　　　　sēcan þā hāmas, þe þū mē hēr scrife,
　　　　　　and þā ārlēasan eardungstōwe.

Die Seele redet hier zum Leichnam und beklagt sich,
dass «ich die Wohnung, die du mir bereitet hast und die
erbarmensleere Bleibensstätte (= Körper) aufsuchen muss»
(cfr. Grein in seiner Übersetzung der angelsächs. Poesie).

Hinweisen möchte ich aber hier besonders auf das ganz
dem althochdeutschen Gebrauche entsprechende häufige Auftreten von ae. hām im Plural in der Bedeutung «Heimat».

Wie ahd. inheim und heimingi eine Vorliebe für pluralischen Gebrauch zeigen, so steht auch ae. hām als allgemeine
Ortsbezeichnung (cfr. Kap. V b) neben häufigem Singulargebrauch
sehr oft im Plural, sei es in intensivem Sinne mit Rücksicht
auf Grösse und Ausdehnung (cfr. Kap. VII) zur Bezeichnung
von Gefühlswerten, sei es, dass man in individueller Anschauungsweise sich von dem abstrakten Begriff «Heimat» abwendet
und etwa an «heimatliche Gefilde» denkt. Beispiele lassen
sich in Fülle erbringen. Man kann sie sich aus Grein's „Sprachschatz" leicht zusammenstellen. Ein gutes Beispiel sei hier
aus dem Beowulf angeführt, cfr.:

Beow. 1127: Gewiton him þā wīgend wīca nēosan
　　　　　　frēondum befeallen, Frȳsland gesēon,
　　　　　　hāmas ond heaburh.

Ähnlichen Gebrauch zeigt auch das Kompositum heofou-hām (cfr. Grein im „Sprachschatz").

Als letzte Gesamtbezeichnungen des altenglischen Ge-höftes seien haga, fæsten und tūn erwähnt. Da sie aber als Simplex sowohl wie als Kompositum nur normalen Gebrauch aufweisen, so will ich sie hier nur ganz kurz behandeln. Bei ihnen ist die Vorstellung an die einzelnen Gebäude des ganzen Güterkomplexes nicht herrschend gewesen; man denkt bei ihnen mehr an das Gehöft als einheitliches Ganzes.

haga

Die Bedeutung dieses Wortes ist ‹Gehege, Gehöft›. Man sollte hier wie bei eodor pluralischen Gebrauch in singu-larischer Bedeutung erwarten mit Rücksicht auf die verschiedenen Gebäude, die vom Gehege eingeschlossen werden. Aber es findet sich nur normaler Gebrauch. Das Wort lässt sich überhaupt sowohl als Simplex wie auch in den Kompositis turf- und fær-haga — die übrigen Komposita kommen als Ortsbezeichnung nicht in Frage — nur singularisch in der angel-sächsischen Poesie nachweisen (cfr. Grein im „Sprachschatz").

fæsten

Die Bedeutung von fæsten ist «befestigter Platz, ein-gefriedigtes Gehöft». Auch hier ist, wie bei haga, nur nor-maler Gebrauch nachzuweisen sowohl im Simplex wie auch in den Kompositis burh-, eðel-, lagu-, sæ-, þell- und weall-fæsten. Der singulare Gebrauch überwiegt bei diesem Worte ganz bedeutend.

Letzte Gesamtbezeichnung des altenglischen Gehöftes ist

tūn.

Zur Etymologie cfr. Jacobs a. a. O. S. 48. Die Grund-bedeutung von tūn ist «das eingezäunte Stück Land, Gehöft». Als Simplex habe ich das Wort in der altenglischen Poesie fast nur singularisch nachweisen können, besonders häufig im Dat. Sg. Die einzelnen Belegstellen sind bei Grein zu ver-gleichen. Als Acc. Pl. kommt das Wort einmal vor in der Verbindung heora land ond heora tūnas in Ps. Th. 48[10]; doch liegt hier sicher pluralische Bedeutung vor. In der altenglischen Prosa ist tūn, wie ich aus Jacobs a. a. O. S. 46/47

entnehme, viel häufiger pluralisch gebraucht, und zwar nimmt
das Wort im Plural dann die Bedeutung „Stadt" (= mehrere
Gehöfte = plurale Bedeutung) an. Abweichenden Gebrauch,
in welchem mit Beziehung auf ein Gehöft der Plural ange-
wendet wird, habe ich aber auch in der altenglischen Prosa
bei den von Jacobs angeführten Stellen nicht nachweisen
können. — Häufigeres Vorkommen im Plural zeigen die
Komposita von tūn. Aber auch hier ist der Gebrauch ein
durchaus normaler, indem in allen Fällen pluralische Bedeutung zu Grunde liegt. Solche Komposita sind:

burg-tūn = septum arcis (nach Grein);
einmal normal gebraucht im Plural in Kl. 31 (bildlich
gemeint).

cafer-tūn = atrium, vestibulum;
Dat. Pl. in: Ps. 121[2], 132[2], 134[2]; Ps. Stev. 83[10], 115[19],
121[2], 131[1], 134[2]; Acc. Pl.: Ps. Stev. 95[8].

wīc-tūn = Wohnort;
Dat. Pl. in Ps. 99[3]; Acc. Pl. in Ps. 95[8].

2. Bezeichnung einzelner Gebäude

Neben diesen Gesamtbezeichnungen des altenglischen
Gehöftes finden sich nun noch viele Bezeichnungen für einzelne Gebäude, die zu einem ganz bestimmten Zwecke errichtet wurden. Und diese Gebäude waren bei den Angelsachsen recht zahlreich vorhanden, cfr. Jacobs a. a. O. S. 52 ff.
Einen auffallenden, abweichenden Numerusgebrauch habe ich
bei diesen Gebäudebezeichnungen in keinem einzigen Falle
nachweisen können: es steht nur Singular für singulare Bedeutung, Plural für plurale Bedeutung. Erklärlich ist dies
sehr leicht, denn es handelt sich hier stets bei diesen Bezeichnungen um ein einheitliches Ganze, das sich nicht aus
verschiedenen Teilen zusammensetzt, wie es bei den Gehöftbezeichnungen der Fall war. Solche Bezeichnungen für einzelne Gebäude sind z. B. *hūs* = domus; *heal* = Halle, Haus
(dies Gebäude war in der altenglischen Hofanlage das vor-
züglichste Gebäude; es war das Repräsentationshaus der
Angelsachsen, cfr. Jacobs a. a. O. S. 26); *sele* = Halle, Haus,

Pallast; *sæl* = Saal, Halle; *ræced* = Halle, Haus; *bŭr* = Schlafhaus, tabernaculum; *bold* = Gebäude, Halle, Haus; *ærn* = Hütte, Haus; *flett* = (Fussboden), Halle, Haus; *seld* = Vorhaus, Haus; *træf* = Zelt, Gebäude; *timber* = Gebäude, aedificium.

Näheres über diese Bezeichnungen und über ihre zahlreichen Komposita ist bei Grein im „Sprachschatz" zu vergleichen. Über die Etymologie dieser Wörter gibt Jacobs a. a. O. gute Auskunft. Sie alle weisen durchaus normalen Numerusgebrauch auf.

b) Pluralgebrauch bei Ortsbezeichnungen allgemeinerer Art

An die behandelten Ortsbezeichnungen bestimmter Art lassen sich noch solche mit allgemeinerer Bedeutung anschliessen. Auch hier habe ich eine pluralische Verwendung sehr häufig nachweisen können. Vor allem ist dies der Fall da, wo es sich um räumlich sehr ausgedehnte Örtlichkeiten handelt. Das starke Hervortreten des Dat. Pl. habe ich bei diesen allgemeinen Ortsbezeichnungen allerdings weniger oft nachweisen können als bei den bestimmten Ortsangaben. Ob bei dem häufigen Pluralgebrauch der allgemeinen Ortsbezeichnungen eine Beeinflussung von Seiten der bestimmten stattgefunden hat, lässt sich nicht entscheiden. In den meisten Fällen dürfte es die Vorstellung einer ungeheuren Ausdehnung sein, die den häufigen Pluralgebrauch der allgemeinen Ortsangaben veranlasst (cfr. die einleitenden Bemerkungen zu diesem Kapitel). — Ausser dem auf S. 70 schon behandelten hãm in der Bedeutung «Heimat» ist hier zunächst einschlägig:

grund.

In der angelsächsischen Poesie hat grund mehrere Bedeutungen. Die ursprüngliche Bedeutung ist «Grund, Boden im Sinne von unterster Fläche eines Raumes = fundus, fundamentum». In dieser Bedeutung lässt sich grund sehr häufig (19 mal) im Singular nachweisen, während sich der Plural nicht ein einziges Mal findet. Diese Bedeutung «unterste Fläche eines Raumes» entwickelt sich weiter und führt zu der allgemeinen Bedeutung solum, terra, campus, mare. Besonders

die Bedeutung grund = mare profundum steht hier gern im
Plural, sicherlich zur Bezeichnung der Ausdehnung und ungeheuren Weite. Aber auch die übrigen Bedeutungen (solum,
terra, campus) dieser Ortsbezeichnung lassen sich häufig im
Plural nachweisen, wobei der Dativ wieder recht stark in den
Vordergrund tritt. Als besonders interessante Fälle kommen
hier die Wendungen on grundum oder of grundum in Frage,
denn hier haben wir es wieder mit festen, erstarrten Formeln
zu tun, in denen der Angelsachse sich des Pluralgebrauches
garnicht mehr bewusst wird. Der Begriff einer unendlichen
Grösse und Ausdehnung lässt sich in allen Fällen mit diesen
Beispielen verbinden.

Folgende Belege aus der angelsächsischen Poesie führe
ich für die Formel on/of grundum an:

Cri. 499: Gesēgon hī on hēahōu hlāford stīgan
godbearn *of grundum* . . .

Cri. 682: . . . Swā sē waldend ūs
godbearn *on grundum* his giefe bryttaō:

Cri. 702: siōōan *of grundum* godbearn āstāg

Cri. 744: þus hēr *on grundum* godes ēce bearn
ofer hēah hleoōu hlȳpum stylde
mōdig æfter muntum:

Met. 20[35]: ūs is ūtan cymen eall þe wē habbaō
gōda *on grundum* from gode selfum.

Andr. 640: godbearn *on grundum* . . .

Bemerkenswert ist, dass die meisten dieser Formeln in
Verbindung stehen mit dem Substantiv godbearn; besonders
im Cri. ist dies der Fall (dreimal belegbar, s. o.). Auch der
Acc. Pl. der allgemeinen Ortsbezeichnung grund lässt sich
ziemlich häufig in den angegebenen Bedeutungen von solum,
terra, campus, mare nachweisen. So ist z. B. zu vergleichen:
Jud. 349; Exod. 312; Beow. 1404, 2073; Andr. 777; Seef. 104;
Æōelst. 15.

Als dritte Bedeutung von grund kommt profundum, abyssus,
Abgrund, Hölle (cfr. Grein im „Sprachschatz") in Frage. Auch
hier ist der Plural sehr stark vertreten und zwar sicherlich
ebenfalls mit Rücksicht auf eine weite Ausdehnung und Grösse.

Sehr häufig lassen sich hier der Nom./Acc. Pl. belegen und
zwar in: Ps. 134⁶; Sat. 10, 134, 260; Sch. 71; Hy. 10⁷; Gen. 407;
Gu. 535; Cri. 145, 973, 1594. Der Dat. Pl. tritt weniger
oft auf; er findet sich in: Ps. 129¹; Rä. 67⁵; Sal. 488. Einmal
scheint in diesen Beispielen formelhafter Gebrauch vorzuliegen
(Ps. 129¹: of grundum).

Auch die Komposita von grund zeigen Vorliebe für pluralische Verwendung, z. B.:

   bryten-grund = terra spatiosa;

der Acc. Pl. ist in Cri. 357 belegbar. Im Singular ist das
Wort in der angelsächsischen Poesie überhaupt nicht verwandt.

   wæter-grund = profundum maris;

einmal als Dat. Pl. in Ps. 106²³ nachweisbar.

   waroð

wird ebenfalls mit Rücksicht darauf, dass es sich
hier um eine ausgedehnte Örtlichkeit handelt, gern pluralisch
gebraucht. Die Bedeutung von waroð ist = litus, Gestade.
Ein ähnlicher Gebrauch wie im Altenglischen lässt sich hier
im Griechischen nachweisen, wo auch das Wort für die Bedeutung «Gestade» gern pluralisch gebraucht wird. Die gleiche
Erscheinung findet sich auch noch in anderen indogermanischen
Sprachen (cfr. dazu Brugmann-Delbrück im Gdrss. Bd. III,
S. 162). — Als Beispiel führe ich an:

Beow.1965: Gewāt him þā sē hearda mid his hondscole
          sylf æfter sande sæwong tredan,
       wide waroðas.

Ähnlichen Gebrauch zeigen Andr. 306 und Ps. 105⁹. —
Das Kompositum sǣ-waroð findet sich ebenfalls pluralisch gebraucht, z. B. als Gen. Pl. in Dan. 323.

   mōr

möchte ich ebenfalls hier mit einrechnen. In der angelsächsischen Poesie hat mōr zwei Bedeutungen: 1. palus, stagnum
und 2. mons. In beiden Bedeutungen wird es sehr häufig pluralisch
gebraucht, weit häufiger als im Singular, und zwar ist auch hier
die Vorstellung einer ungeheuren räumlichen Ausdehnung sicherlich das ausschlaggebende Moment gewesen. Im Folgenden
will ich die beiden Bedeutungen etwas näher betrachten.

ad. 1.) mōr = palus, stagnium

In dieser Bedeutung wird z. B. das Moor, in dem Grendel's Behausung sich befindet, gern pluralisch gebraucht. Mit diesem Moore hat der Beowulfdichter sicherlich die Vorstellung einer unermesslich grossen Fläche verbunden. Konsequent durchgeführt ist der Pluralgebrauch allerdings nicht, jedoch überwiegt er die singularische Verwendung. So heisst es zwar Beow. 1405: gegnum for ofer myrcan mōr (Acc. Sg.) und Beow. 710: þā cōm of mōre (Dat. Sg.); aber an drei anderen Stellen wird das gleiche Moor pluralisch gebraucht im Acc. und zwar stets in der sicherlich formelhaft gewordenen Wendung mōras healdan, cfr.

Beow. 103: wæs sē grimma gæst Grendel hāten,
mære mearcstapa, sē þe *mōras* hēold
Beow. 162: . . . sinnihte hēold (= Grendel)
mīstige *mōras*
Beow.1348: þæt hīe gesāwon swylce twēgen
micle mearcstapan *mōras* healdan

ad 2.) mōr = mons

In dieser Bedeutung ist bei mōr der Pluralgebrauch noch viel stärker durchgedrungen als in der Bedeutung «Moor». Nur ein einziges Mal ist hier überhaupt singularische Verwendung nachweisbar, während der Plural sich fünf mal belegen lässt und zwar als Nom./Acc. Pl. in Az. 120, Ps. 140[9], Sal. 340, Rä. 37[10] und als Dat. Pl. in Ps. 74[6].

Zum Schlusse möchte ich hier noch anführen

weal.

In der altenglischen Poesie hat weal drei Bedeutungen: 1. Erdwall, Hügel; 2. Felsenufer; 3. Mauer. In allen drei Bedeutungen lässt sich der Plural öfter nachweisen. Besonders die zweite Bedeutung «Felsenufer» tritt gern pluralisch auf wie z. B. in Exod. 571; Gn. Ex. 54; Beow. 572, 1224. Die Bedeutung „Wall" habe ich im Plural gefunden als Nom./Acc. in: Jud. 137, Sat. 652, Cri. 5, Hö. 34, Wand. 76, Andr. 845, 1555, Ps. 88[33], 105[9], Ps. C. 133, Sal. 235, Rä. 4[9]; als Gen. Pl. in: Dan. 691; als Dat. Pl. in: Gen. 2409, 2418 und als Dat. Instr. Pl. in: Ps. 59[8], Dan. 41. — Auch die Komposita

bord-, burh-, fore-, stæð-weal zeigen eine Vorliebe für pluralische Verwendung. — Diese wenigen Beispiele von Ortsbezeichnungen unbestimmter Art mögen hier genügen. Man kann
diese Sammlung natürlich noch bedeutend erweitern. Einige
Beispiele aus Kap. VII lassen sich hier noch einordnen.

Kapitel VI

Der Pluralgebrauch bei Zeitbezeichnungen

Wie beim Substantivum des Ortes sich beim Angelsachsen
in vielen Fällen eine Vorliebe für pluralischen Gebrauch nachweisen lässt, so weist die angelsächsische Poesie auch Fälle
auf, in denen Substantiva der Zeit einem Pluralgebrauche
folgen, der zwar auch in unserer Zeit noch nicht völlig ge-
schwunden ist (cfr. nhd. zu Zeiten), dessen Umfang aber heute
im Vergleich zu den früheren Sprachperioden als sehr klein zu
bezeichnen ist. Meist handelt es sich bei den pluralisch gebrauchten Zeitbestimmungen um adverbiellen Gebrauch, bei
dem ja der Angelsachse — wie aus Kap. IX noch näher
ersichtlich wird — dem Plurale vor dem Singular den Vor-
zug gibt. Besonders der Dat. Pl., Dat. Instr. Pl. und der
Gen. Pl. spielen bei den adverbiellen Zeitbezeichnungen eine
Rolle. Doch ist zu bemerken, dass auch in nicht adverbiellem
Gebrauche Puralformen bei Zeitbezeichnungen nichts Seltenes
sind; man braucht den Plural besonders, um eine nicht näher
begrenzte unbestimmte Zeitdauer, meist eine lange Zeit, auszudrücken. — Hier haben wir es wieder mit einer Erscheinung zu tun, die für das gesamte Sprachgebiet des Germanischen in Frage kommt, die aber besonders reich sich wieder
in dem altenglischen Sprachzweige entwickelt hat. — Ich
führe hier wieder, wie bei den Ortsbezeichnungen, Beispiele
aus dem Gotischen und Althochdeutschen an. So findet sich
z. B. im Gotischen von aiws (= unbegrenzte Zeit) der Dat.
Pl. in adverbieller Bestimmung, z. B.: unte þeina ist þindan-
gardi jah mahts jah wulþus in aiwins (cfr. Wilmanns a. a. O.
Bd. III 2, S. 721): in aiwins steht hier in adverbiellem Sinne

= nhd. «in Ewigkeit». Für das Althochdeutsche führt
Wilmanns an derselben Stelle mehrere Beispiele an: in ēwōn
(zu ewa) = in aeternum: Diese adverbielle Bestimmung lässt
sich, wie ich aus Erdmann's «Untersuchungen über die
Syntax der Sprache Otfrids» entnehme, bei Otfrid allein
40 mal nachweisen. Ferner sind zu vergleichen die ahd.
adverbiellen Zeitbestimmungen: unz in ēwōn (usque in aeternum), zi ēwidōn, die beide ebenfalls bei Otfrid häufig wieder-
kehren. Oft braucht man im Althochdeutschen, besonders
bei Otfrid, auch das Wort ziti adverbiell im Plural, selbst
von einem beschränkten Zeitraum der Gegenwart, z. B.
O. 5, 17, 4: in thēsen zitin. Sehr häufig sind dann bei
Otfrid vor allem die adverbiellen, pluralisch gebrauchten Zeitbestimmungen then stuntōn, then wilōn, nahtōn und andere
mehr. — Auch nicht adverbiell gebrauchte Zeitsubstantiva,
besonders solche, die eine unbestimmte Zeitdauer ausdrücken,
werden im Althochdeutschen gern pluralisch gebraucht. Als
Beispiel führe ich an Otfrid 3, 19, 21: thio sīno ēwingī (cfr.
Kelle in seinem Otfridglossar unter ēwa und ēwingi); ebenso
werden frist (cfr. Otfrid 3, 7, 84: fristi gēban) und selbst das
beschränkte Zeitsubstantivum geginwarti (O. 5, 12, 64) pluralisch gebraucht. — Zur Vervollständigung der althochdeutschen
Beispiele verweise ich auf Grimm's Gram. (cfr. a. a. O.) Bd. III 2,
S. 136/137 (ed. 1831).

Im Altenglischen treten uns ähnliche Verhältnisse wie
im Althochdeutschen in bezug auf pluralisch gebrauchte Zeitbestimmungen entgegen. Besonders die adverbiell gebrauchten
Zeitsubstantiva — meist unbestimmter, zuweilen aber auch
bestimmter Art — im Dat. resp. Dat. Instr. Pl. nehmen einen
grossen Raum ein. Ich behandle im Folgenden die einzelnen
Zeitsubstantiva, speziell die, die mir bei der Lektüre des
Beowulf und der Genesis aufgefallen sind.

hwīl

Die Bedeutung von hwīl ist «tempus, Weile, Zeitdauer».
Vor allem kommt bei diesem Worte der adverbielle Gebrauch
im Dat. Instr. Pl. in Frage. Ich habe von hwīl im Plural
überhaupt nur den Dat. Instr. nachweisen können und zwar

stets in adverbiellem Sinne zur Angabe einer unbestimmten Zeit. Der Gebrauch ist hier völlig formelhaft geworden und entspricht in seiner Bedeutung ungefähr dem lat. aliquando, interdum, oder aber, bei mehrmaliger Wiederholung, dem Gebrauche unseres nhd. bald . . . bald. Als Belege führe ich folgende Stellen an:

1. hwīlum in der Bedeutung = lat. interdum, aliquando = nhd. zuweilen, manchmal, öfter, oft.

Beow. 175: Hwīlum hīe gehēton æt hærgtrafum
wīgweorðunga, . . .

Beow. 496: . . . Scop *hwīlum* sang
hādor on Heorote, . . .

Beow. 916: *Hwīlum* flītende fealwe strǣte
mēarum mǣton.

Beow.1728: *Hwīlum* hē on hyhte hworfan lǣteð
monnes mōdgeþonc

Beow.1828: swā þec hettende *hwīlum* dǣdon

Beow.2299: . . . *hwīlum* on beorh æthwearf,
sincfæt sōhte.

Beow.3044: . . . lyft-wynne hēold (= d. Drache)
nihtes *hwīlum* (= nächtlicherweile)

Aus der Genesis nenne ich folgende Beispiele:

Gen. 777: . . . *Hwīlum* tō gebede fēollon
sinhīwan somed

Gen. 810: *hwīlum* of heofnum hāte scīneð
blīcð þēos beorhte sunne.

Cfr. ferner:

Exod. 170: *Hwīlum* of þām werode wlance þegnas
mǣton mīlpaðas

Andr. 443: . . . *hwīlum* ūpp āstōd
egesa ofer ȳðlid.

Andr. 514: *hwīlum* ūs on ȳðum earfoðlīce
gesǣleð on sǣwe

Von den weiteren Beispielen gebe ich nur die Belegstellen, ohne sie weiter auszuführen. hwīlum in der Bedeutung = lat. aliquando, interdum lässt sich ferner nachweisen in: Jul. 440;

Gū. 57, 891; Ps. 75⁵, 106³⁹; Metr. 2⁹, 4¹⁰, 29⁵³; Sal. 61, 380; Rä. 3¹, 4¹,¹⁷, 5⁸, 50⁴, 57⁸, 72⁷, 87⁸, 89¹².

2. hwīlum ... hwīlum in der Bedeutung von nhd. bald ... bald.

Beow.864/867: *Hwīlum* heaðorōfe hleapan leton
on geflit faran fealwe mearas
. . .; *hwīlum* cyninges þegn
guma gilphlæden, gidda gemyndig
worn gemunde, . . .

Beow.2016/2020: . . . *Hwīlum* mæru cwēn,
friðusibb folca flet eall geondhwearf.
Hwīlum for duguðe dohtor Hrōðgāres
eorlum on ende ealuwæge bær.

Beow.2107/09/11: *hwīlum* hildedēor hearpan wynne,
gomen-wudu grētte: *hwīlum* gyd āwræc
sōð and sārlīc: *hwīlum* syllic spell
rehte æfter rihte rūmheort cyning.
Hwīlum eft ongan eldo gebunden
gomel gūðwiga gioguðe cwīðan.

Weitere Belege lassen sich nachweisen in: Sat. 132 ff., 714 ff.; Cri. 646/48; Gū. 879/882; Met. 20²¹⁴/¹⁵, 29⁴⁹ᶠᶠ·; Sal. 151 ff.; By. 270 ff.; Rä. 4³⁶⁻³⁸, 7⁶⁻⁷, 13⁴⁻⁷, 15³⁻¹⁷, 88⁸⁻⁷.

Wie sehr in diesen adverbiell gebrauchten Zeitbestimmungen der Pluralgebrauch über die singularische Verwendung überwiegt, zeigt der Umstand, dass neben den reichlichen Belegen im Plural sich in der ganzen angelsächsischen Poesie nur ein einziger Fall von adverbiellem Gebrauche im Singular nachweisen lässt und zwar als Dat. Instr.. Die Stelle findet sich in Hy. 3⁴⁴⁻⁴⁵, wo hwīle ... hwīle in der Bedeutung bald ... bald gebraucht wird.

In nicht adverbiellem Sinne lässt sich hwīl natürlich häufig belegen im Singular in allen Kasus, meist in Verbindung mit einem einschränkenden oder näher bestimmenden Beiwort (besonders mit Adjektiven wie micel, long, lȳtel und mit Substantiven wie dæg, niht etc.).

Eine Betrachtung der Komposita von hwīl zeigt, dass hier, infolge des komponierten und in den meisten Fällen spezifizierenden Bestandteiles, adverbiell gebrauchte Dat. Pl., wie sie beim Simplex hwīl so zahlreich vertreten waren, gemieden werden. Überhaupt ist der Pluralgebrauch in diesen Kompositis überaus selten. So lassen sich folgende Komposita nur singularisch belegen:

earfoðhwīl; Acc. Sg. in Seef. 3 belegbar.

gescæphwīl; Dat. Sg. in Beow. 26.

gryre-hwīl; Dat. Sg. in Andr. 468.

præc-hwīl; Dat. Sg. in Jul. 554.

rōt-hwīl; mehrmals singularisch belegbar.

swylt-hwīl; Dat. Sg. in Phön. 350, 566.

wræc-hwīl; Dat. Sg. in Phön. 527.

Einige andere Komposita lassen sich zwar im Gen. Pl. nachweisen, sind indessen abhängig von einem Superlativ oder Zahl- resp. Menge-adverbium, und in diesem Falle braucht der Angelsachse den Plural, wenn auch sonst das betreffende Wort nicht pluralisch gebraucht wird. Solche Komposita sind:

langung-hwīl; als Gen. Pl. in Kr. 126 von fela abhängig gebraucht.

sige-hwīl; Gen. Pl. in Beow. 2710, abhängig vom Superlativ sīðast.

orleg-hwīl; Nom. Sg. in Beow. 2002; Gen. Sg. in Beow. 2911; Gen. Pl. in Beow. 2427, von fela abhängig.

Unabhängig pluralisch gebraucht wird nur ein einziges Kompositum von hwīl, nämlich *dæg-hwīl.* Als Acc. Pl. lässt sich dies Wort nachweisen in:

Beow. 2726: þæt hē *dæghwīla* gedrogen hæfde,

eorðan wynne: (vom Drachen ist die Rede)

Dass gerade dieses Kompositum pluralischen Gebrauch aufweist, erklärt sich dadurch, dass durch den komponierten Bestandteil dæg eine nähere Bestimmung und Spezifizierung nicht erfolgt, wie es bei allen bisher behandelten Kompositis von hwīl der Fall war. Das Kompositum dæg-hwīl ist wie das Simplex hwīl selbst eine unbestimmte Zeitangabe und wird als solche, ganz entsprechend dem althochdeutschen Gebrauche, gern pluralisch verwendet.

stund.

Dieses Zeitsubstantivum drückt zunächst eine bestimmte Zeitangabe = lat. hora aus, steht dann aber auch im allgemeineren Sinne von tempus. Das Wort kommt in der angelsächsischen Poesie als Bezeichnung einer bestimmten Zeit häufig im Singular vor. Vom Plural habe ich ausser dem Gen. Pl., der einmal (Rä. 55⁹) in Abhängigkeit von dem Pronomen gehwä vorkommt, nur den Dat. Instr. Pl. nachweisen können und zwar, wie bei hwīl, in adverbieller Bedeutung zur Angabe einer unbestimmten Zeitdauer. Dieser Dat. Instr. Pl. stundum hat ungefähr die Bedeutung des lat. «per intervalla, interdum, singulis vicibus» und findet sich sehr häufig. Beachtenswert ist auch, dass das pluralisch gebrauchte Zeitadverbium stundum in vielen Fällen einen Bedeutungswandel durchgemacht hat und seinen Charakter als Zeitadverbium überhaupt gänzlich verloren hat. Es nimmt in diesen Fällen dann die Bedeutung des lat. «studiose» an. Ähnliches findet sich später auch bei dem adverbiell gebrauchten mælum.

1. Der Dat. Instr. Pl. stundum in der Bedeutung von lat. interdum, per intervalla

Beow. 1423: . . . Horn *stundum* song
  fūslīc fyrdlēoð. (bisweilen)

Gū. 1245: . . . hȳrde þā gēna
  ellen on innan, 'oroð *stundum* tēah
  mægne mōdig . . .

Rä. 2³: þonne ic āstige strong, *stundum* rēðe
  þrymful þunie, þrāgum wræce
  (stundum = bisweilen)

2. Der Dat. Instr. Pl. stundum in der Bedeutung studiose, eifrig, heftig

El. 121: Stōpon stiðhydige, *stundum* wrǣcon
  (schlugen heftig)

El. 232: . . . *Stundum* wrǣcon
  ofer mearcpaðu mægen æfter ōðrum
  (Heftig drängte sich Menge über Menge)

Rä. 3⁶: strēamas staðu bēatað, *stundum* weorpað
  on stealc hleoða stane and sonde (= heftig)

Gen. 525: . . . þonne ic sigedryhten,
  mihtigne god mæðlan gehȳrde

strangre stemne and mē hēr *stundum* hēt
his bebodu healdan (stundum = eifrig)
Die gleiche Bedeutung für stundum dürfte ferner vorliegen in: Ps. 58³, 58⁶, 85⁶, 93⁶, 97⁸.

Die Komposita von stund habe ich zumeist infolge ihrer
spezifizierten Bedeutung singularisch gebraucht gefunden.
Es kommen in der altenglischen Poesie folgende nur im
Singular vor:

orlēg-stund; in Sal. 374.

winter-stund; Acc. Sg. in Gen. 370.

Ein Kompositum dagegen: *worold-stund* habe ich einmal
in der allgemeinen Bedeutung von «Zeit» pluralisch belegen
können als Dat. Pl. in El. 363: „þēah ic feala for him æfter
woroldstundum wundra gefremede." Zu beachten ist, dass
bei diesem Kompositum, wie schon bei dæg-hwīl, der komponierte Bestandteil nicht spezifizierend ist. Auch liegt adverbieller Gebrauch dieser Wendung «æfter woroldstundum»
nicht fern. In den beiden oben angeführten Kompositis dagegen ist der komponierte Bestandteil durchaus spezifizierend.

þrāg

Die Bedeutung dieser unbestimmten Zeitbezeichnung
gibt Grein im „Sprachschatz" an als «decursus vel spatium
temporis». Ich habe das Wort sehr häufig singularisch belegen
können in Verbindung mit einem determinierenden Adjektiv
oder Substantiv. Vom Plural lässt sich oft der Dat. Instr.
þrāgum in adverbiellem Gebrauche nachweisen. Die Bedeutung dieses adverbiell gebrauchten þrāgum ist ungefähr
die gleiche wie die von hwīlum = aliquamdiu, interdum.
Als Belegstellen führe ich an:

Sat. 112: Ic sceal *þrāgum* earda nēosan

El. 1239: þus ic frōd and fūs þurh þæt fæcne hūs
wordcræft wæf and wundrum læs,
þrāgum þreodude and geþanc rēodode

Rä. 2⁴: . . . *þrāgum* wræce
fēre geond foldan, folcsalo bærne
ræced rēafige . . .

Rä. 4⁶⁷: Swā ic þrymful þēow *þrāgum* winne
hwīlum under eorðan

Rä. 55[7]: þegn onnette, wæs *þrāgum* nyt
      tillíc esne

Ps. 138[11]: Swā *þrāgum* gǣð þéostru wið leohte:

Wie bei hwílum und stundum schon, ist auch bei þrāgum der Gebrauch völlig formelhaft geworden: Der Dat. Instr. Pl. vertritt vollkommen die Funktion eines Adverbs. — Die Komposita von þrāg lassen sich nur singularisch nachweisen: *earfoð-þrāg*; Acc. Sg. in Beow. 283.
mōd-þrāg; Nom. Sg. in Met. 25[41].

Bei beiden Kompositis ist der komponierte Bestandteil spezifizierend. — Ob bei den Dat. Instr. Pl. þrāgum in Rä. 82[4] und Ph. 68 ein Bedeutungswandel vorliegt, wie er sich bei stundum in der Bedeutung «studiose» gezeigt hat, lässt sich schwer entscheiden; man müsste dann die Bedeutung „schnell" annehmen, die wohl auf Phön. 68, nicht aber auf Rä. 82[4] passen würde. Eventuell liegt, wie Grein im „Sprachschatz" annimmt, diesen beiden Stellen die Bedeutung «cursus» ganz allgemein zu Grunde, ohne Bezugnahme auf das Zeitliche (cursus temporis). — Zu dem adverbiellen Dat. Instr. Pl. þrāgum cfr. auch Grimm in seiner Grammatik Bd. III, S. 137.

mǣl.

mæl ist eine allgemeine, unbestimmte Zeitangabe mit der Bedeutung «Zeit, Zeitabschnitt, Zeitpunkt». Das Wort ist häufig im Singular nachweisbar, meistens wiederum in Verbindung mit einem determinierenden Adjektiv oder Substantiv. Sehr oft dagegen findet es sich pluralisch gebraucht im Dat. Instr. Pl. in adverbiellem Sinne. Fast immer handelt es sich hier um die feste, formelhafte Verbindung «ǣrran mǣlum» = «früher, olim, antea, in früheren Zeiten» (cfr. dazu Grein im „Sprachschatz").

Als Beispiele führe ich an:

Beow. 907: Swylce oft bemearn *ǣrran mǣlum*
          swíðferhðes síð snotor ceorl monig

Beow.2237: . . . Ealle hie déað fornam
          ǣrran mǣlum . . .

Beow.3035: . . . þone þe him hringas geaf
          ǣrran mǣlum: . . .

Auch als Gen. Pl. lässt sich mæl oft nachweisen, meist allerdings in Abhängigkeit von einem Pronomen (cfr. Beow. 1249) oder von fela (cfr. Beispiele in Grein's „Sprachschatz"). Auch die Verbindung sæl ond mæl, die meist nur in singularischem Gebrauche sich findet (z. B.: þā wæs sæl ond mæl) wird an einer Stelle in der angelsächsischen Poesie im Gen. Pl. verwandt, cfr. Beow. 1611: sē geweald hafað sæla ond mæla. — Sehr interessant ist eine Untersuchung der Komposita von mæl oder besser gesagt der Komposita des Dat. Inst. Pl. mælum, denn der ursprünglich in zeitlichem Sinne adverbiell gebrauchte Dat. Instr. Pl. mælum wird so fester und formelhafter Bestand, dass er mit anderen Substantiven Verbindungen eingeht, in denen dann die ursprünglich zeitliche Bedeutung fast nicht mehr zu erkennen ist. Grimm in seiner Gram. (cfr. a. a. O.) Bd. III, S. 137 hat diese Fälle aufgezählt; er ordnet sie ein unter die dativischen, substantivischen Adverbia, zu denen er auch gryrum, cystum etc. (cfr. Kap. IX) zählt.

Als Beispiele aus der angelsächsischen Poesie und Prosa führt Grimm folgende Verbindungen des Dat. Instr. Pl. mælum mit einem Substantivum an:

dropmælum = guttatim; *flītmælum* = certatim; *flocmælum* = gregatim; *hēapmælum* = cumulatim; *pragmælum* = interdum; *stundmælum* = sensim; *cist-mælum* = certatim; *bit-mælum* = frustillatim.

In der angelsächsischen Poesie habe ich von diesen Kompositis allerdings nur *prāgmælum* nachweisen können, das sich in Jul. 344 und Met. 28⁶⁵, 26⁸⁰ findet. Nicht von Grimm erwähnt wird das Kompositum *trāgmælum* = «mit Mühe, qualvoll» (Andr. 1232) sowie das Kompositum *pūsendmælum* = «1000-fältig» (in Jud. 164; An. 874; Exod. 196; Sat. 236, 509, 569, 632).

Über die althochdeutschen sowie gotischen Verhältnisse gibt Grimm a. a. O. ebenfalls Auskunft.

tīd

ae. tīd entspricht unserem nhd. «Zeit» = lat. tempus. Der Singular lässt sich häufig nachweisen, zum grossen Teil in Verbindung mit determinierenden Substantiven oder Adjektiven. Vom Plural ist besonders der Dat. Instr. tīdum zu be-

achten, der meistens — wie schon bei den bisher behandelten
Zeitbestimmungen — in adverbieller Bedeutung steht. Doch
tritt bei tīdum die adverbielle Bedeutung und der formelhafte
Gebrauch weniger stark hervor als bei hwīlum, stundum, mælum.
Dass der Pluralgebrauch sich im Althochdeutschen bei zīt oft
findet, wurde bereits in der Einleitung zu diesem Kapitel erwähnt. Es sei nochmals auf das dort angeführte Beispiel in
thësen zīten (Otfrid) verwiesen. Auch im Nhd. ist uns der
Pluralgebrauch von „Zeit" nicht fremd, und wir sprechen von
«alten Zeiten, besseren Zeiten, beizeiten etc.» (beachte besonders nhd. «beizeiten» = alter Dat. Pl. in adverbieller
Bedeutung). — Ich gebe im Folgenden eine Auswahl von Beispielen für den Pluralgebrauch von tīd aus der angelsächsischen Poesie:

1. Der Nom. Pl. tīda
Er ist nur einmal zu belegen.

Met. 8⁴⁰: Eā lā! þæt hit wurde oððe wolde god,
þæt on eorðan nū ūssa *tīda*
geond þās wīdan weoruld wæren æghwæs
swelce under sunnan!

2. Der Gen. Pl. tīda
Dieser Kasus findet sich meist abhängig von einem Pronomen (cfr. Gen. 2305; Cri. 107) oder von fela (El. 1044; fela
tīda = diu). — Mehrere Male ist der Gen. Pl. aber auch unabhängig nachweisbar und zwar in:

Cri. 235: lēoma leohtade lēoda mægðum
torht mid tunglum æfter þon *tīda* bigong.

Gū. 726: eall þās geēodon in ūssera
tīda tīman.

Gū. 849: sume ær sume sið, sume in ūrra
æfter tælmearce *tīda* gemyndum.

3. Der Dat. Pl. tīdum

Gū. 125: . . . Hē gecostad wearð
in gemyndigra monna *tīdum*

Met. 9⁵⁷: . . . þe on his *tīdum*
geond þās lænan worold libban sceoldon!

Dies Beispiel ist besonders beachtenswert: «die in dieser unbeständigen Welt zu seiner (Nero's) Zeit leben sollten». Wie bei dem ahd. in thēsen zīten ist auch hier nur von einem beschränkten Zeitraum der Gegenwart die Rede; trotzdem findet sich pluralischer Gebrauch.

4. Der Dat. Instr. Pl. tīdum

Hier liegt meist adverbieller Gebrauch vor in der Bedeutung des lat. interdum, interdiu, nhd. bisweilen. — Beispiele:

Gu. 89: Nālæs hȳ him gelīce lāre bǣron
in his mōdes gemynd *mongum tīdum* (= öfters)

Gu. 182: . . . þǣr hȳ bīdinge
earme andsacan ǣror mōstun
æfter tintergum *tīdum* brūcan (tīdum = manchmal)

Rä. 40²: Gewritu secgað, þæt sēo wiht sȳ
mid moncynne *miclum tīdum*
sweotol and gesyne; (oft)

Rä. 59⁶: . . .: nyt bið hwæðre
hyre mon-drihtne *monegum tīdum* (= oft)

El. 1249: ǣr lāre onlāg þurh leohtne hād
gamelum tō gēoce, gife unscynde
mǣgencyning āmæt and on gemynd begeat,
torht ontȳnde, *tīdum* gerȳmde,
bān-cofan onband . . .

Der Dichter redet hier von sich selbst; tīdum steht in der Bedeutung von «nach und nach». — Auch in Sat. 45 scheint mir in dem Ausdrucke *sēlrum tīdum* (in besseren Zeiten) adverbiale Bedeutung vorzuliegen.

Folgende Stellen, die ich hier nicht weiter ausführe, haben den Dat. Instr. Pl. tīdum ebenfalls in adverbieller Bedeutung: Gn. Ex. 125; Ps. 61[11], 65[12, 15], 70[22], 137[2], 146[2], 149[3], 167[26]. Weniger klar tritt die adverbielle Bedeutung hervor in Ps. 115[8] und 121[7].

Neben der Bedeutung «Zeit» hat tīd auch den Sinn von «dies festus»: hier findet es sich einmal in Men. 63 als Acc. Pl. gebraucht zur Bezeichnung des Osterfestes. Es ist dies dieselbe Erscheinung, von der Wilmanns in der deutschen Grammatik Bd. III 2, S. 721 inbezug auf das Althochdeutsche sagt: „Beliebt ist der Plural von Festzeiten: O. 3, 15, ₅ sih nähtun eino zīti, das Fest der Tempelweihe. 4, 8, ₁ thio hōhun gizīti. 3, 22, ₁ thes gotes hūses wīhi. 4, 6, ₁₅ eino brūtloufti eine Hochzeitsfeier" etc. (cfr. bei Wilmanns a. a. O.)

In der Bedeutung «hora» kommt tīd auch vor und zwar ziemlich häufig im Plural, meist in Verbindung mit einem Zahlwort. Immer normaler Gebrauch. — Die Komposita von tīd habe ich meist nur singularisch nachweisen können, was sich wiederum aus dem spezifizierenden Kompositionsteil leicht erklären lässt. So kommt nur singularisch vor:

äntīd; Acc. Sg. in Beow. 219.

bēn-tīd; Nom. Sg. in Men. 75.

ēastor-tīd; Singular zu belegen in Gū. 1075.

fulwiht-tīd; Nom. Sg. in Men. 11.

gebyrd-tīd; Dat. Sg. in Edg. 12.

lencten-tīd; Acc. Sg. in Met. 29[68].

mergentīd/morgentīd; Dat. Sg. in Ps. 129[6]; Acc. Sg. in Beow. 484, 518; Æðelst. 14; Jud. 236.

ūht-tīd; Acc. Sg. in Exod. 216.

Pluralischen Gebrauch dagegen zeigt:

dæg-tīd; Dat. Sg. in Gen. 1659 (= illo tempore); der Dat. Instr. Pl. ist zweimal zu belegen und zwar in Rä. 18[3], 71[6]. Erklärlich ist der plurale Gebrauch hier dadurch, dass tīd an diesen Stellen die Bedeutung «Stunde», nicht «Zeit» hat: in den Stunden des Tages = bei Tage. — Dieselbe Erklärung dürfte auch bei dem einmal im Acc. Pl. in Kr. 68 vorkommenden *æfentīd* vorliegen, das sonst singularisch gebraucht wird in Gen. 2424; Gū. 1188 und Met. 8[19].

gēar/gēr

Dies Wort findet sich meist als bestimmte Zeitangabe in der Bedeutung «annus» und ist in diesem Sinne singularisch und pluralisch häufig zu belegen. Im Plural steht es fast stets in Verbindung mit Zahlwörtern. Diese Verwendung brauche ich nicht weiter mit Beispielen zu belegen. Vielmehr möchte ich hier auf den Bedeutungswandel aufmerksam machen, den die bestimmte Zeitangabe «Jahr» durchmacht, indem sie auch als unbestimmte Zeitbezeichnung verwandt wird. Als solche findet sie sich ausschliesslich pluralisch gebraucht und zwar in adverbieller Verwendung. Zu bemerken ist bei diesem adverbiellen, pluralischen Gebrauche der unbestimmten Zeitangabe gēar, dass besonders der Gen. Pl. stark hervortritt, während der Dat. Instr. Pl. weniger oft zu belegen ist (einmal).

1. Der Dat. Instr. Pl. gērum = olim

Men. 10:   ... hyne folc mycel
        Januarius *gērum* hēton.

2. Der Gen. Pl. gēara = olim, quondam, antiquitus (cfr. Grein im „Sprachschatz")

Beow.2664: Leofa Bīowulf, lǣst eall tela,
        swā þū on geoguðfēore *gēara* gecwǣde.

Gen. 410: Gif ic ǣnegum þegne þeoden māðmas
        gēara forgēafe ...

Exod. 33: þā wæs iū *gēre* ealdum wītum
        dēaðe gedrenced drihtfolca mǣst

Gū. 11: swā þæt *gēara* iū godes spelbodan
        wordum sægdon ...

El. 1266: ... wæs *gēara*
        geoguðhādes glǣm, ...

Von den übrigen Beispielen in der altenglischen Poesie führe ich nur die Belegstellen an: Sal. 429; Möd. 57; Sch. 11; Wand. 22; Kr. 28; Andr. 1389; Met. 1[1], 20[52]; Ps. 73[12], 80[10], 94[9], 98[4], 104[6], 113[12], 118[152], 121[2], 147[8]; Ps. Th. 43[3], 47[7]. Die adverbielle Bedeutung von gēara ist hier so vollkommen durchgedrungen und der Zusammenhang mit dem Substantivum gēar so weit gelockert, dass man analog dem adverbiellen Gen. Pl. gēara ein Adverbium *ungēara* gebildet hat, zu welchem sich ein Substantivum ungēar nicht nachweisen lässt. Wie Grein im „Sprachschatz" angibt, hat dies Adverb ungēara 1. die Bedeutung: „unlängst, non pridem, nuper" und 2. steht es im Sinne von „mox (gleichsam ohne Verzögerung, ohne Aufschub), in kurzem". Die erstere Bedeutung lässt sich nachweisen in Beow. 932, die letztere in Beow. 602; Sat. 395; Jul. 124; Gū. 252.

niht

Die Bedeutung von ae. niht ist = lat. nox = «Nacht»
im Gegensatz zum Tage. Wir haben es hier mit einer deter-
minierten beschränkten Zeitbestimmung zu tun. Der Plural
findet sich neben dem Singular meist in Verbindung mit einem
Zahlwort oder Pronomen. Die Belegstellen sind hierfür, was
aus der Zählung der Germanen nach Nächten statt nach
Tagen leicht erklärlich wird, zahlreich vorhanden. Bei den
nicht in Verbindung mit einem Zahlwort oder Pronomen auftretenden Pluralformen von niht möchte ich, wie bei den bisher behandelten Zeitbezeichnungen, auf das starke Vorkommen
von niht in adverbialer Bedeutung im Dat. Instr. hinweisen.
Das altenglische adverbiale nihtum — ganz entsprechend dem
althochdeutschen nahton, cfr. Einl. zu diesem Kap. — ist, wie
hwīlum, stundum, mælum völlig formelhaft geworden und steht
in der Bedeutung «nächtlicherweile, bei Nacht». Meist lässt
sich dies nihtum in der Verbindung «dagum ond nihtum»
nachweisen = «bei Tag und bei Nacht». Es scheint mir
hier individuelle Anschauungsweise mit im Spiele zu sein, was
bei den bisher behandelten Zeitbezeichnungen weniger zu merken
war. Der Angelsachse setzt mit Rücksicht auf die Vorstellung
einer Mehrzahl von Nächten konsequent den summativen Plural
und meidet den kollektiven resp. isolativen Singular, wie wir
ihn in unserem nhd. «bei Tag und Nacht» verwenden.

Die Formel dagum ond nihtum lässt sich nachweisen in:
Exod. 97: þāra æghwæðer efn-gedælde
      heahþegnunga hāliges gāstes
      dēormōdra sīð *dagum ond nihtum.*

Ebenso cfr. Rä. 6[14] und Met. 20[213]. Beachtenswert
scheint mir besonders, dass der adverbielle Dat. Instr. Pl.
nihtum sich auch findet, wenn ein spezifizierendes Adjektiv
dabei steht. Cfr. z. B.:
Exod. 168: hreopon mearcweardas *middum nihtum*
             (um mitternächtliche Weile).

Auch hier findet sich stark individuelle Anschauungsweise. — An adverbiellen Gebrauch grenzt auch das im

Beowulf mehrere Male zu belegende deorcum nihtum (cfr. Beow. 168, 275, 2211).

Das der Verbindung mid niht bedeutungsgleiche Kompositum *middelniht* (spezifizierend) wird ebenfalls im Dat. Instr. Pl. in adverbiellem Sinne und in individueller Anschauungsweise gebraucht, z. B.:

Beow. 2782: þām þāra māðma mundbora wæs
longe hwile, ligegesan wæg
hātne for horde, hioroweallende
middelnihtum, oðþæt hē morðre swealt.

Beow. 2833: Nalles æfter lyfte lācende hwearf
middelnihtum . . .

Ebenso ist zu vergleichen Met. 28[17] und Rä. 87[7].

Auf Zeitbestimmungen wie *dæg* und *dōgor* brauche ich hier wohl nicht näher einzugehen, wenn ich sage, dass auch bei ihnen gern pluralischer Gebrauch im Dat. Instr. in adverbiellem Sinne sich nachweisen lässt. Cfr. als Beispiel das schon erwähnte «dagum ond nihtum», cfr. ferner das adverbiell gebrauchte, völlig formelhaft gewordene «ufaran dōgrum» im Sinne von «früher, ehemals» in Beow. 2220 und 2392. — Über das dem altenglischen «dagum ond nihtum» korrespondierende got. «dagam jah nahtam» cfr. P. B. B. XXIV, S. 534. — Über die Komposita von *dæg* wird beim abstrakten Pluraletantum noch Einiges zu sagen sein (cfr. Kap. IX g).

Kapitel VII

Der Pluralgebrauch bei Begriffen der Masse, Ausdehnung und Fülle

Schon bei den allgemeinen Ortsbezeichnungen (cfr. Kap. V b) hatte ich darauf hingewiesen, dass sich bei diesen der Pluralgebrauch häufig nachweisen lässt, wenn es sich um räumlich sehr ausgedehnte Örtlichkeiten handelt. Ich erinnere an Fälle wie on grundum etc.. Betont hatte ich dabei, dass es sich hier nicht um den Plural des Singular handelt, sondern dass der Plural hier nur in kollektivem Sinne einen Hinweis auf die Ausdehnung und Grösse der betreffenden Bezeichnung geben soll. Im Folgenden will ich diesen Pluralgebrauch noch etwas genauer untersuchen. Besonders die altenglischen Bezeichnungen für Begriffe wie Himmel, Erde, Meer u. s. w. finden sich in diesem Sinne pluralisch gebraucht.

Die Vorstellung einer unbegrenzten, unendlichen Grösse lässt sich mit allen diesen Begriffen verbinden, und um diese Grösse sprachlich zum Ausdruck zu bringen, greift der Angelsachse oft zu pluralischer Verwendung, wenn es auch sich um eine sonst einheitliche Masse handelt. — Parallel mit diesem pluralischen Gebrauche geht bei Grösse- und Massebezeichnungen noch ein anderer. Bei grossen und mannigfaltigen, aus vielen kleinen Teilen sich zusammensetzenden Dingen, wird der Plural oft auch gebraucht mit Rücksicht auf eben diese kleinen Teile, aus denen sich der zusammenfassende Begriff komponiert. In diesen Fällen haben wir es mit einer ähnlichen Erscheinung wie mit der der abweichend pluralisch gebrauchten Wohnsitzbezeichnungen (burgum etc.) zu tun, wo auch der zusammenfassende Begriff, mit Rücksicht auf die in ihm sich vereinigenden einzelnen Teile, selbst gern pluralisch gebraucht wurde. Dieser Pluralgebrauch beruht natürlich auf einer stark individuellen Anschauungsweise, indem dem Angelsachsen die einzelnen Teile eines Dinges deutlicher vor Augen stehen, als das Ding als Ganzes. — Diese beiden Möglichkeiten der Erklärung des Pluralgebrauchs bei Begriffen der Masse und Ausdehnung gehen meist nebeneinander her, und es ist oft schwierig, beide Fälle auseinanderzuhalten. Ich will im Folgenden versuchen, beide Möglichkeiten getrennt von einander zu behandeln; doch ist die Grenze oft eine fliessende.

a) Der Pluralgebrauch bei Begriffen der Fülle, Masse und Ausdehnung in kollektivem Sinne

Wilmanns a. a. O. Bd. III 2, S. 720 bezeichnet diesen Pluralgebrauch als «kollektiven Plural». Er führt dazu ungefähr

Folgendes aus: Im Alt- und Mittelhochdeutschen kommt neben
dem Plural liute auch der Singular liut vor. Der Plural bezeichnet aber hier nicht eine Mehrzahl von liut, sondern ebenso
wie der Singular eine unindividuell aufgefasste Menge von
Menschen. · Im Nhd. ist uns dieser kollektive Plural noch ge-
läufig in vielen Fällen: „z. B. wenn wir «von den Mauern
einer Stadt, von Massen und Unmassen, von Mengen und Unmengen» reden, oder in Verbindungen wie «sich in die Lüfte
heben, in die Fluten tauchen, der Geist Gottes schwebte über
den Wassern, die Zeiten sind vorüber»; ferner «mit Ehren
bestehen, einen zu Gnaden annehmen, zu Schanden werden,
vonnöten sein, zu gunsten, mit Freuden zuhören, aus Leibes-
kräften schreien, von Sinnen kommen». Auch in «Vorräte
sammeln, Schätze oder Reichtümer aufhäufen, gute Aussichten
haben» empfinden wir den Plural wesentlich als kollektiv; er
bezeichnet nicht eine Mehrheit des Singular, sondern weist
nur hin auf Ausdehnung, Fülle und Mannigfaltigkeit. In vielen
Fällen mag dieser kollektive Plural auf unlebendiger Auffassung
des individuellen Plural beruhen, doch hat man keinen Grund,
ihn als weniger ursprünglich als den individuellen Plural anzusehen."

In der altenglischen Poesie finden sich derartige Fälle
eines unindividuellen, kollektiven Plural ebenfalls recht
häufig, besonders eben bei Begriffen, mit deren Wesen eine
Grösse und Fülle gegeben ist, wie z. B. rodor, heofon, wolcen
und viel andere mehr. — Die im Folgenden gegebene Beispielsammlung lässt sich beliebig erweitern und macht keinen Anspruch auf Vollständigkeit. In vielen Fällen findet dabei eine
Berührung mit dem in Abschnitt b zu behandelnden «individuellen Plural» statt.

rodor

Die Bedeutung von rodor ist = lat. coelum, firmamentum,
aether. Das Wort findet sich sehr häufig pluralisch gebraucht
in kollektivem Sinne zur Bezeichnung der unermesslichen Ausdehnung des Himmelsgewölbes. Es handelt sich hier wiederum
um einen intensiven Plural, der Gefühlswerte wie Staunen
und Verwunderung sprachlich zum Ausdruck bringen soll.

Besondere Vorliebe ist hier wieder für die Verwendung des Dat. Pl. vorhanden, meist in Verbindung mit Präpositionen wie under, for und tō. In den meisten Fällen erstarren diese Verbindungen zu festem, formelhaften Gebrauche. Als Beispiele seien angeführt:

under roderum:

Beow. 310: þæt wæs foremærost foldbūendum
receda *under roderum*

Gen. 109: . . . geseah deorc geswcorc
semian sinnihte sweart *under roderum*

Gen. 1344: oð ic þære lāfe lagosīða eft
reorde *under roderum* rȳman wille!

Gen. 1418: Fōr fāmig scip L. and C.
nihta *under roderum*

Ähnliche Stellen sind zu belegen in: Gen. 2221; Dan. 640; Cri. 484, 526, 1176; Phön. 14; El. 13, 46, 147, 631, 804, 919, 1235.

of roderum:

Gen. 2911: Him þā ofstum tō ufan *of roderum*
wuldorgāst godes wordum mælde:

Cri. 74: Arece ūs þæt gerȳnc, þæt þe *of roderum* cwōm.

El. 1023: . . . swā hire gāsta weard
reord *of roderum*.

Ebenso vergleiche El. 762.

from roderum:

Gen. 1372: . . . Drihten sende
regn *from roderum* . . .

Cri. 907: Cymeð wundorlīc Cristes onsȳn,
æðelcyninges wlite ēastan *from roderum*

tō roderum:

Gen. 1681: þe *tō roderum* ūp rǣran ongunnon
Adames eaforan

Dan. 652; oðþæt him frēan godes in gāst becwōm
rǣdfæst sefa, þū hē *tō roderum* beseah

Ra. 56[b]: . . . þæs ūs *tō roderum* ūp
hlædre rǣrde

Ebenso cfr. Met. 23[10].

on roderum:

Gen. 21: . . . elles ne ongunnon

räran *on roderum* nymðe riht and sôð.

Weitere Belege finden sich in: Dan. 366, 580; Jud. 5; Cri. 353, 758, 1469; Men. 216; Jul. 644; El. 460, 1151; Hy. 3[30]. Auch der Nom./Acc. Pl. lassen sich bei rodor zur Bezeichnung der Grösse öfter nachweisen. Vergleiche z. B.:

Beow.1376: . . . oðþæt lyft drysmað,

roderas rēotað, . . .

Ebenso cfr. Jud. 349 und Gn. Ex. 134. Sehr häufig lässt sich von rodor der Gen. Pl. nachweisen, z. B.:

Beow.1555: rodera rädend hit on ryht gescéd;

Ebenso cfr.: Gen. 1, 169, 1166, 1203, 1253, 2119, 2404; Dan. 291, 457; El. 206, 482, 1067, 1075; Sat. 347, 612, 688; Phön. 664; Gn. 654, 764, 1286; Rä. 14[7]; Jul. 305; Andr. 627, 817; Cri. 134, 222, 423, 798, 866, 1221; Met. 10[30], 11[20]; Ps. C. 92.

Von den Kompositis *ēast-, heah-, norð-, sūð-, ūp-, west-* rodor habe ich keine pluralische Verwendung nachweisen können. Sie tragen zum grössten Teil spezifizierte Bedeutung.

heofon

(cfr. hierzu auch Sweet a. a. O. unter heofon). Die Bedeutung von heofon ist = lat. coelum. Auch hier haben wir es mit einem Worte zu tun, mit dessen Wesen die Vorstellung einer ungeheuren, unendlichen Grösse und Weite verbunden ist. Der Pluralgebrauch findet sich daher bei heofon sehr häufig, häufiger noch als bei rodor. Ich gebe im Folgenden nur eine Auswahl von Beispielen und führe für die übrigen Fälle nach Grein's „Sprachschatz" die Belegstellen an. Ausserordentlich häufig findet sich bei heofon wiederum der Dat. Pl. in Verbindung mit Präpositionen wie in, of, tō, ofer, under, from und on. Diese Verbindungen sind durchaus formelhaft gebraucht. — Dass heofon nicht nur poetisch, sondern auch in der Prosa gern pluralisch gebraucht wird, beweist Mohrbutter a. a. O. für Wulfstän und Wülfing a. a. O. für die Werke Alfred's des Grossen. Dass ein Unterschied der Bedeutung je nach dem Numerusgebrauche bei heofon vorliegt, sodass heo-

fenas das „Himmelreich" als Wohnort der Seligen, heofon dagegen das „Himmelsgewölbe" bezeichnete, halte ich — wie Wülfing
für die Prosa — auch für die Poesie für nicht zutreffend.
(cf. Wülfing a.a.O. S. 276). — An Beispielen sind zu vergleichen:
on heofenum/hiofenum:
Gen. 255: swā wynlīc wæs his wæstm *on heofenum,* þæt . . .
Ebenso vergleiche: Gen. 78, 97, 257, 274, 676; Sat. 16,
37, 372, 586; Cri. 282, 778, 1681; Wa. 115; Andr. 1454;
Gū. 92, 222; El. 101; Kr. 134, 140, 154; Exod. 440; Hy. 6[2],
7[51]; Met. 20[230].

tō heofnum/hiofnum:
Gen. 240: Hwærf him þā *tō heofnum* hālig drihten
Ebenso cfr.: Gen. 1675; Exod. 460; Cri. 485, 737, 867;
Gū. 37, 1077; El. 83, 188; Rä. 30[12]; Phön. 521, 656.

of heofnum/heofenum:
Gen. 66: Scēop þā and scyrede scyppend ūre
oferhȳdig cyn engla *of heofnum:*
Ebenso: Gen. 306, 533, 616, 810, 2541; Exod. 416, 492;
Sat. 467; Andr. 89, 168, 195; Gū. 77, 305, 481, 657, 683, 719.

in heofenum/heofnum:
Sat. 29: . . . nāles swegles leoht
habban *in heofnum* hēahgetimbrad
Ebenso in: Sat. 43, 81, 151, 528; El. 527, 801; Gū.
69, 556.

ofer heofnum:
Phön. 641: . . . hwæðre his meahta spēd
hēah *ofer heofnum* hālig wunade.
under heofenum:
Beow. 52: . . . men ne-cunnon
secgan tō sōðe selerǣdende,
hæleð *under heofenum,* hwā þǣm hlæste onfēng.
Ebenso in: Beow. 505; Gen. 161, 912, 1387, 1595;
Exod. 376; Cri. 286; Wand. 107; Wīd. 143; Gū. 2, 23; El. 976;
Sal. 60, 467; Phön. 58, 73, 129, 391, 444; Metr. 9[4], 11[53],
29[22]; Ps. C. 4. — Auch der Nom. Pl. heofenas ist in der
angelsächsischen Poesie mehrere Male belegbar, so z. B.:

Dan. 365: þe gebletsige, bylwit fæder,
    woruldcræfta wlite and weorca gehwilc,
    heofenas and englas and hluttor wæter!
Ebenso cfr.: Az. 75; Cri. 933; Phön. 626; Ps. 88[4], 95[11];
Hy. 9[47].
    Noch häufiger kommt der Gen. Pl. heofena vor. —
Beispiele:
Beow. 182: ne hīe hūru *heofena* helm herian ne cūðon;
Ebenso in: Gen. 50, 254, 397, 512, 584, 1404, 2140,
2165, 2385; Cri. 253, 348, 424, 518, 545, 653, 905, 1039,
1340; Sat. 278, 348, 567, 618; Phön. 446, 483; Andr. 6, 192,
1507, 1685; Jul. 722; Hö. 34; El. 699; Kr. 45; Gū. 1276;
Hy. 1[4], 3[35, 47, 50], 6[15], 8[29, 42]; Met. 29[72]; Sal. 37, 52. —
    Das Kompositum *ūp-heofon* kommt nur im Singular vor
(wie die Komposita von rodor).
    In dies Kapitel ist auch einzureihen:
hēahðu
    Die Bedeutung von ae. hēahðu ist = lat. altitudo,
summitas, excelsa; got. haúhiþa, ahd. hōhida. Dies Wort
wird, wenn eine ungeheure Grösse oder Ausdehnung zum
Ausdruck gebracht werden soll, oft im Plural verwandt und
zwar stets im Dat. Pl. in Verbindung mit gewissen Präpo-
sitionen wie in/on/of. Besonders zur Bezeichnung der himmlischen Höhe wird hēahðu oft im Plural verwandt. Als
Beispiele erwähne ich:
    of hēahðum:
Gū. 910:   . . . þā wæs frōfre gæst
            ēadgum æbodan ufan onsended
            hālig *of hēahðum*
Ebenso in Cri. 508.
    on hēahðum
Jul. 560:   . . . georne ǣr
            heredon *on hēahðum* and his hālig wuldor
Ebenso Gū. 1061; Cri. 867.
    in hēahðum: .
Cri. 414:   . . . þē *in hēahðum* sīe
            ā butan ende ēce herenis!

Ebenso Gū. 768.

wolcen

Auch wolcen = nubes lässt sich in diesen Zusammenhang einordnen. Mit Rücksicht auf grosse Ausdehnung und reiche Fülle findet sich der Plural weit häufiger als der Singular. (Allerdings liesse sich hier auch der „individuelle Plural" (cfr. Kap. VII b) rechtfertigen mit bezug auf die vielen am Himmel vorhandenen einzelnen Wolken). Zu beachten ist auch hier wieder das häufige Auftreten des Dat. Pl. in Verbindung mit Präpositionen. Der grösste Teil dieser Verbindungen ist als formelhaft zu betrachten. Als Beispiele für formelhaft gebrauchte Dat. Pl. in Verbindung mit Präpositionen seien angeführt:

under wolcnum:

Beow. 8: ... hē þæs frōfre gebād,
    wēox *under wolcnum*

Ebenso vergleiche: Beow. 651, 714, 1631, 1770; Gen. 916, 1058, 1231, 1329, 1438, 1702, 1950; Cri. 226, 588; Phön. 27, 247; Fin. 8; Andr. 93, 839; Gū. 1254; El. 1272; Sal. 103; Met. 1^{76}, 7^{26}.

tō wolcnum:

Beow. 1119: wand *tō wolcnum* wæl-fȳra mæst
Ebenso Beow. 1374.

Ferner sind zu vergleichen folgende Verbindungen:

on wolcnum: Gen. 1538.

ofer wolcnum: Exod. 80.

of wolcnum: Jul. 283.

be wolcnum: Jul. 1274.

mid wolcnum: Sat. 608.

wið wolcnum: Ps. 56^{12}.

Ebenso findet sich einige Male der Dat. Instr. Pl. wolcnum, z. B. in: Cri. 527; Andr. 1048; Kr. 53. Auch der Nom./Acc. Pl. wolcun/wolcen/wolcnas ist öfter nachweisbar: Gen. 212; Ps. 76^{14}; Gn. C. 13; Hy. 9^7; Sat. 6; Ps. 77^{25}, 107^4, 134^7, ebenso der Gen. Pl. wolcna: Rä. 8^5; Exod. 298; Dan. 350, 624; Az. 105; Jud. 67; Sat. 564; El. 89; Met. 28^2. — Das Kompositum *heofon-wolcen* habe ich ebenfalls als unindividuellen kollektiven Plural belegen können und zwar als Dat. Pl. in Verbindung mit der Präposition of in Ps. 147[6]. — Das Kompositum *wederwolcen* habe ich einmal im Singular nachweisen können. — Dass neben den altenglischen Bezeichnungen für «Himmel» auch die Bezeichnungen für «Erde» gern den kollektiv-unindividuellen Pluralgebrauch aufweisen, war bereits bei dem unter den allgemeinen Ortsbezeichnungen behandelten *grund* nachgewiesen worden. Auch hier steht wie bei heofon, rodor der Plural lediglich, um eine unendliche Grösse und Ausdehnung zu bezeichnen. Der Dat. Pl. on grundum ist ebenso wie under wolcnum, under roderum, on heofnum völlig formelhaft geworden.

Neben grund soll hier noch

stæð

Erwähnung finden. Die Bedeutung von stæð ist = «Gestade». Wir haben es hier also mit einer Ortsbezeichnung allgemeiner Art zu tun. Mit Rücksicht auf die Grösse dieses Gestades findet sich im Simplex sowohl (cfr. Met. 6[b]; Rä. 3[6]) wie auch in den Kompositis *bord-* und *brim-stæð* gern pluralischer Gebrauch. — Besonders häufig finden sich im Altenglischen die Bezeichnungen für «Meer» in kollektiv-unindividuellem Sinne pluralisch gebraucht. Ich führe folgende Beispiele an:

wæd

Die Bedeutung von wæd ist = vadum, aequor, mare, aqua. Ich habe dies Wort in der ganzen altenglischen Poesie nur ein einziges Mal singularisch nachweisen können als Gen. Sg. in Wal. 9; sonst kommt das Wort nur pluralisch vor, und zwar acht mal, fast ausschliesslich in der Bedeutung «mare». Aus dem Beowulf führe ich folgendes Beispiel an:

Nom. Pl. *wado*:

Beow. 546: . . . oðþæt unc flöd tödräf,
        wado weallende.

Ebenso cfr.: Beow. 581; Andr. 375, 533.

Gen. Pl. *wada*:

Beow. 508: þær git for wlence *wada* cunnedon

Ebenso Andr. 439.

Acc. Pl. *wado*:

Andr. 1459: . . . oðþæt hādor sægl
wuldortorht gewāt under *wadu* scrīðan
Ebenso Rä. 8².
brim
Die Bedeutung von ae. brim ist = lat. aestus, aquae,
mare, pelagus. Auch dies Wort wird mit Rücksicht auf Grösse
und Ausdehnung mehrere Male pluralisch gebraucht, z. B.
als Acc. Pl. in:
Andr. 519: . . . āh him līfes geweald
sē þe brimu bindeð . . .
Ebenso cfr. Æðelst. 71; Gen. 2192 (brymn); Andr. 242
(breomu). Der Nom. Pl. findet sich in Edw. 12. Auch die
Verbindungen brim-stream und brim-flōd finden sich meist
pluralisch gebraucht. Ersteres z. B. in Andr. 239, 348; Beow.
1910; letzteres in Az. 38.
hæf
Die Bedeutung von hæf ist = mare. Im Beowulf findet
es sich nur pluralisch gebraucht, cfr.:
Beow. 2477: . . . frēode ne woldon
ofer heafo healdan . . .
Ebenso cfr. Beow. 1862.
Auch
flōd
mit seinen zahlreichen Kompositis ist hier einschlägig. Es
lässt sich sehr häufig pluralisch nachweisen, z. B. als Nom./
Acc. Pl. flōdas in: Exod. 362, Cri. 986, Andr. 908, El. 1270,
Gen. 2213, Rä. 67⁴, Ps. 68¹⁴, 76¹³; als Gen. Pl. flōda in:
Beow. 1497, 1826, 2808, Ps. 65¹¹; als Dat. Pl. flōdum in
Cri. 980. Ebenso finden sich die Komposita *drenc-, geofon-,*
lagu-, sæ-, wæter-flōd häufig pluralisch verwandt. Man könnte
flōd freilich auch unter den individuellen Pluralgebrauch
(Kap. VII b) einrechnen, wenn man annimmt, dass für den
Pluralgebrauch nicht unindividuell-kollektive Anschauung der
Masse zu Grunde liegt, sondern individuelle Vorstellung der
einzelnen Teile. — Ebenso kann man schwanken bei dem
Pluralgebrauch der beiden Bezeichnungen ae. stream und ȳð
zwischen individueller und kollektiv-unindividueller Auffassung.
stream

Die Bedeutung von ae. strēam = lat. flumen, mare. In
der Bedeutung «Meer» findet sich der Pluralgebrauch hier
sehr oft. So lassen sich belegen:
Nom./Acc. Pl. strēamas: Exod. 296, 459, Beow. 212, 1261,
Andr. 374, 1505, Phön. 120, Jud. 349, Seef. 34, Met. 20[172],
Rä. 3[6,14], 4[70], 23[8], 79[8], Ps. 64[10], 65[5]; Dat. Pl. strēamum in:
Gen. 1459; Dat. Instr. Pl. strēamum: Gen. 223, 1406, 2212.
Auch die Komposita ēg-, ēagor-, fyrn-, lagu-, mere-, sǣ-, wœl-,
wœter-, wylle-strēam zeigen häufig pluralisches Vorkommen.
Wie bei flōd kann es auch bei strēam möglich sein, dass
individuelle Anschauungsweise zu Grunde liegt bei der
häufigen pluralischen Verwendung.
Dasselbe gilt von ae.

ȳð:
Die Bedeutung von ȳð ist = Woge, Flut. Der Plural
ist bei diesem Worte häufig nachweisbar, und besonders der
Dat. und Dat. Instr. Pl. treten stark hervor. Einige Beispiele
aus dem Beowulf mögen hier genügen. Dat. Pl.: on ȳðum:
Beow. 210, 421, 534, 1437; ofer ȳðum: Beow. 1907; Dat.
Instr. Pl.: Beow. 515, 2693. Von letzterem Kasus halte ich
die Wendung «ȳðum weallan» = «in Strömen wallen» in der
Bedeutung «heftig wallen» für formelhaft. Auch die Kompo-
sita flōd-, lig-, wœter-ȳð lassen sich oft im Plural nachweisen.
Ein gutes Beispiel für reinen kollektiv-unindividuellen Plural-
gebrauch ist in ae.

lyft
zu belegen. Entsprechend unserem deutschen «sich in die
Lüfte erheben» findet sich bei lyft mehrere Male der Pluralgebrauch in der altenglischen Poesie. Als Beispiele seien angeführt: Nom./Acc. Pl. in Jul. 348 und Met. 20[173]; Dat.
Instr. Pl. in Met. 20[98].
Dem ahd. liute entsprechend wird auch bei dem ae. lēod
mit dem Plural

lēode
nicht eine Mehrzahl von lēod bezeichnet, sondern lediglich
— wie im Singular lēod auch — eine unindividuell aufgefasste
Menge von Menschen bezeichnet (cfr. dazu die Einleitung zu

diesem Kapitel). Der Plural dient nur zur stärkeren Hervorhebung der Masse: er wird bedeutend häufiger als der Singular
verwandt. In der angelsächsischen Poesie lässt sich der Plural
nicht weniger als 140 mal belegen, während der Singular nur
7 mal nachweisbar ist. In dem Kompositum burh-leode lässt
sich überhaupt nur pluralische Verwendung feststellen (3 mal).
Ähnlich wie lēod wird auch ae.

folc

behandelt. Auch hier bedeutet in vielen Fällen der Plural
folc — genauso wie der Singular — nichts weiter als eine unindividuell aufgefasste Menge von Menschen, meist Kriegsleuten
(cfr. dazu Heyne-Schücking im Beowulfglossar). Doch lassen
sich von dem in der angelsächsischen Poesie als Simplex
sowohl wie als Kompositum ausserordentlich oft pluralisch
gebrauchten folc auch sehr viele Beispiele nachweisen, in denen
der Plural folc wirklich eine Mehrzahl des Singular im Sinne
von «Völker, Nationen» zum Ausdruck bringt. Aus Grein's
„Sprachschatz" lassen sich die einzelnen Belege leicht zusammenstellen.

Dass auch abstrakte Begriffe (wie sie Wilmanns fürs
Deutsche in seinen Beispielen «in Freuden», «in Gnaden» etc.
nachgewiesen hatte, cfr. Einl. zu Kap. VII) in der altenglischen
Poesie in kollektiv-unindividuellem Sinne mit Rücksicht auf
Fülle und Mannigfaltigkeit pluralisch gebraucht werden,
möchte ich an einigen wenigen Beispielen zeigen.

Ich kann mich hier kurz fassen, wenn ich auf die in
Kap. IX a, b behandelten, adverbiell gebrauchten Abstrakta
verweise, die zum grossen Teil einen kollektiv-unindividuellen
Pluralgebrauch zeigen mit Rücksicht auf innere Fülle und
Mannigfaltigkeit. Bei vielen von ihnen allerdings, das sei
schon hier betont, ist eine durchaus individuelle Anschauungsweise zu erkennen (cfr. besonders Kap. IX c).

Als Beispiel sei hier angeführt ae.

ār

Die Bedeutung von ae. ār ist = lat. honor, gloria. Unserem nhd. «in Ehren» (cfr. Einl. zu Kap. VII) entsprechend
habe ich ār häufig im Plural nachweisen können, und zwar

besonders, wie bei dem deutschen Beispiel, im Dat. resp. Dat.
Instr. Pl. (ārum), wo der Gebrauch wie im Deutschen formel-
haft geworden ist. Besonders die Verbindung ārum healdan
lässt sich häufig in der angelsächsischen Poesie nachweisen.
Als Belege nenne ich:
Beow. 296: . . . nacan on sande
        ārum healdan, . . .
Beow.1099: þæt hē þā wēalāfe weotena dōme
        ārum hēolde, . . .
Beow.1182: . . . þæt hē þā geogoðe wile
        ārum healdan, . . .
Ähnlich wird der Dat. Pl. mid ārum gebraucht, cfr. Gu.
421; El. 714.
    Beide Fälle, der Dat. Instr. Pl. ārum sowohl wie auch
der Dat. Pl. mid ārum sind völlig als adverbiale Ausdrücke
in der Bedeutung «ehrenhaft, in Ehren» aufgefasst. Weiteres
dazu cfr. Kap. IX.
    Hier einschlägig wären schliesslich auch die sog. Menge-
abstrakta, die — ganz entsprechend dem deutschen «Massen
und Unmassen», «Mengen und Unmengen» — gern pluralisch
verwandt werden; meist finden sie sich als soziative Dat.
Instr. Pl. wie *hēapum, corðrum* cuman etc. — Näheres ist
in Kap. IX f noch auszuführen.

b) Der Pluralgebrauch bei Begriffen der Masse, Ausdehnung und Mannigfaltigkeit mit Rücksicht auf die einzelnen Teile, aus denen sich der Massenbegriff komponiert

    Dem unindividuell-kollektiven Plural — dem man in
grösserem Zusammenhange ausser den genannten Bezeichnungen der Fülle und Ausdehnung (cfr. Kap. VII a) auch viele
der (in Kap. IX zu behandelnden) pluralisch gebrauchten Abstrakta (cfr. schon ārum), sowie die meisten der pluralisch-
adverbiell gebrauchten Zeitbestimmungen (cfr. hwīlum, tīdum
etc.), ferner auch die allgemeinen Ortsbestimmungen (grundum
etc.) zurechnen könnte — stellt sich nun bei Wörtern, mit
deren Bedeutung sich die Vorstellung einer Fülle und Mannig-

faltigkeit, eines Nichteinheitlichen verbindet, der «individuelle
Plural» gegenüber. Dieser individuelle Plural wird bei Begriffen der Summe in individueller Anschauungsweise mit
Rücksicht auf die einzelnen Teile verwandt, aus denen sich
der zusammenfassende Begriff komponiert. Begegnet sind
wir diesem Plural schon bei den Ortsbezeichnungen bestimmter
Art (Gehöftbezeichnungen: burgum etc.) und werden ihn bei
den abstrakten Begriffen ebenfalls wiederfinden (cfr. Kap.IX).

Schon in Kap. VII a hatte ich bei Fällen wie flōd, ȳð,
strēam darauf hingewiesen, dass bei ihnen der Pluralgebrauch
wohl weniger als in kollektiv-unindividuellem Sinne gebraucht
aufzufassen ist, sondern dass vielmehr in individueller Anschauungsweise mit Rücksicht auf die einzelnen Teile, aus
denen die Masse komponiert ist, der Plural sich eingestellt hat.
— Die folgenden Beispiele lassen diesen Gebrauch noch besser
erkennen. — Ich möchte hier die im Beowulf z. B. überaus
häufig pluralisch auftretenden Bezeichnungen für «Schatz»,
«Hort» u. s. w. erwähnen.

Es soll hier wohl fast stets nicht auf die Grösse des
betreffenden Schatzes hingewiesen werden, sondern es schwebt
die Vorstellung an die einzelnen Gegenstände des Schatzes
vor, und mit Rücksicht auf diese setzt man den Plural. Bei
einigen Stellen allerdings ist auch die erstere Auffassung
nicht unbedingt von der Hand zu weisen: die Grenze zwischen
beiden Fällen, dem kollektiv-unindividuellen und dem individuellen Plural ist eben eine fliessende.

Die einzelnen Belege will ich im Folgenden nicht aufzählen,
sondern nur die Wörter nennen, um die es sich hier handelt.

Im Beowulf lassen sich folgende Wörter sehr häufig pluralisch belegen: *gestrēon* (= Schatz, Hort) mit seinen zahlreichen Kompositis wie *eald-, hēah-, ǣr-, eorl-, lang-, hord-,
māðm-, sinc-, þēod-gestrēon*; ferner *hord* mit Kompositis wie
bēah-hord u. a. mehr. Stark vertreten ist in diesen Wörtern
besonders der Gen. und Dat. Pl. Auch *ǣht* = Habe, Besitz
ist mit seinem Pluralgebrauche hier einzurechnen, desgl. das
Kompositum *māðm-ǣht*. Hierher gehören wohl auch Fälle wie

lean = «Lohn» und *laf* = «das Zurückgelassene, Erbe».
Beide werden häufig pluralisch verwandt und bezeichnen in
diesem Gebrauche einzelne Teile eines grösseren Ganzen. Und
zwar haben wir hier die interessante Erscheinung, dass der
Singular in abstrakter Bedeutung gebraucht wird, während
der Plural konkret gefasst wird: Der abstrakte Begriff «Lohn,
Vergeltung» vereinigt in sich konkrete Teile = «Belohnungen».
Ähnlich ist es bei ae. lāf.
Diese wenigen Beispiele aus dem Beowulf mögen hier
genügen. Sie lassen sich leicht aus der übrigen angelsächsischen Poesie mit Hilfe von Grein's „Sprachschatz" erweitern
und vervollständigen.

Kapitel VIII

Das konkrete altenglische Pluraletantum

Bei der Betrachtung des altenglischen Pluraletantums sei
mir gestattet, eine Scheidung in konkretes und abstraktes
Pluraletantum vorzunehmen. Und zwar möchte ich in diesem
Kapitel nur das konkrete altenglische Pluraletantum behandeln
und das abstrakte erst im nächsten Kapitel, bei der Behandlung der Abstrakta überhaupt berücksichtigen.

Wilmanns in seiner Grammatik (cfr. a a. O.) Bd. III$_2$,
S. 724 bemerkt zum deutschen Pluraletantum: „Obwohl der
Singular im allgemeinen die ältere und ursprünglichere Form
ist, gibt es doch Substantiva, die nur im Plural gebräuchlich
sind. Einige erscheinen nur dadurch als Pluraletantum, dass
sie durch ihre Bedeutung vom Singular isoliert sind: got.
wēgōs = Wogen zu wēgs = Bewegung; ahd. eltiron/eldiron
= parentes, Komparativ zu alt" usw. (cfr. Wilmanns S. 724).
Mit dieser Erscheinung möchte ich die Betrachtung des altenglischen Pluraletantums beginnen. Auch hier finden sich
Beispiele, in denen Wörter nur dadurch als Pluraletantum
erscheinen, dass sie durch ihre Bedeutung vom Singular differenziert sind. Dem got. wēgs: wēgōs entsprechend schwankt ae.

wylm/wælm : wylmas/wælmas in seiner Bedeutung. Als Singular hat wylm/wælm stets die Bedeutung «das Wogen, das Wallen, die Bewegung» und lässt sich als Simplex in der angelsächsischen Poesie oft (28 mal) nachweisen. Als Kompositum ist es in dieser Bedeutung und in singularischem Gebrauche nachweisbar als: *bæl-, brēost-, brim-, byrne-, ed-, flōd-, heaðo-, hēafod-, holm-, strēam-wylm/-wælm.* Als Plural wylmas/ wælmas nimmt das Wort die konkrete Bedeutung «die Wogen» an. Freilich steht es auch hier sehr oft in übertragener Bedeutung, wie die zahlreichen Komposita wie cear-wylmas etc. beweisen: Doch ist auch in diesen übertragenenen Bedeutungen die sinnlich-konkrete Vorstellung der «Wogen» stets vorhanden. Als Simplex lässt sich wylmas = «die Wogen» nur einmal in der altenglischen Poesie nachweisen. Von den Kompositis dagegen ist zu nennen: *cear-, ege-, fȳr-, sār-, sǣ-, sorh-wylmas/-wælmas*, die sich alle ausnahmslos pluralisch gebraucht finden. Einige Komposita schwanken, indem sie bald als Singular in der abstrakten Bedeutung, bald als Plural in der konkreten Bedeutung auftreten. Hier ist zu nennen: *flōd-* und *heaðo-*wylm/wælm bezw.-wylmas/-wælmas. — Alle einzelnen Belegstellen aus der angelsächsischen Poesie kann ich hier nicht aufführen. Ich beschränke mich auf die Aufzählung einiger Beispiele aus dem Beowulf.

a) Der Singular wylm/wælm in der abstrakten Bedeutung «das Wogen, die Bewegung»

Beow. 2546:. . . wæs þære burnan *wælm*
    heaðofȳrum hāt: (= das Wallen)
Beow. 1764: þæt þec ādl oððe ecg eafoðes getwæfeð,
    oððe fȳres feng oððe flōdes *wylm* (= das Wogen)
Beow. 1693:. . . him þæs endelean
    þurh wæteres *wylm* waldend sealde.
                         (= Bewegung)
Als Komposita vergl. in dieser Bedeutung:
Beow. 1877:. . . Wæs him sē man tō þon lēof,
    þæt hē þone *brēostwylm* forberan ne mehte;
                (Bewegung im Inneren)

Beow. 1494: . . . *brimwylm* onfeug
hilderince. (Bewegung des Meeres)

b) Der Plural wylmas/wælmas in der konkreten Bedeutung «die Wogen»

Besonders die Komposita liefern hier gute Beispiele, cfr.:
Beow. 2326: bolda sēlest *brynewylmum* mealt,
  gifstōl Gēata. (in Feuerwogen)
Beow. 282: ond þā *cearwylmas* cōlran wurðað
Beow. 2066: . . . ond him wīflufan
  æfter *cearwælmum* cōlran weorðað.
Beow. 2671: Æfter þām wordum wyrm yrre cwōm,
  atol inwitgæst ōðre sīðe
  fȳrwylmum fāh fīonda nīosau (durch Feuerwogen)
Beow. 2819: . . . ær hē bæl cure,
  hāte *heaðowylmas*.
Beow. 393: . . . þæt he ēower æðelu can
  ond gē him syndon ofer *sæwylmas*,
  heardhicgende, hider wilcuman (= Meereswogen)
Beow. 904: . . . Hine *sorhwylmas*
  lemede tō lange, . . .

Diese wenigen Beispiele mögen hier genügen. Sie lassen sich mit Hilfe von Grein's „Sprachschatz" aus der übrigen angelsächsischen Poesie leicht zusammenstellen und vervollständigen.

Dem von Wilmanns erwähnten Beispiele ahd. „eltiron/ eldiron = parentes = Komparativ zu alt" parallel möchte ich auf ae. *yldran/eldran/œldran* = «parentes, majores, progenitores, Voreltern, Ahnen» aufmerksam machen. Wir haben es hier, wie im Althochdeutschen, mit Ableitungen des Komparativs yldra zum Positiv eald zu tun. Das Wort lässt sich in den verschiedenen Formen ziemlich häufig nachweisen. Ich gebe im Folgenden nur die Belegstellen an: Nom. Pl. eldran: Met. 1[58]; yldran: Az. 18, Phön. 414, 438, Gū. 722, 946, Dan. 298, Ps. 77[13]; ældran: Ps. C. 65; Gen. Pl. eldrena: Met. 13[28]; yldrena: Ps. Th. 45; Dat. Pl. yldrum:

Gen. 1107, 1129, 1716, 2772, Fä. 11. Auch eldran/yldran erscheinen nur dadurch als Pluraletantum, dass ihre Bedeutung vom Singular differenziert ist (yldra = Vater).

An eldran/yldran möchte ich — ohne im einzelnen näher zu untersuchen, ob zu den betreffenden Wörtern in älterer Zeit einmal ein Singular existiert hat — eine Reihe von pluraletantisch gebrauchten Begriffen anschliessen, zu deren Wesen es gehört, dass sie aus mehreren Individuen bezw. Teilen bestehen; es handelt sich hier meist um zusammenfassende Bezeichnungen, wie wir sie z. B. im lat. majōres, mānes, arma oder im got. brōþrahans, sarwa, wepna etc. finden.

a) Pluraletantischer Gebrauch zur Bezeichnung menschlicher Wesen

1. Das Pluraletantum bezeichnet eine beschränkte, durch Verwandtschaft mit einander verbundene Anzahl von Personen

Neben dem schon behandelten yldran/eldran gehört hierher:

1. ae. *gebrōðor/gebrōðru* (pl. m.) = «Brüder, Gebrüder». Die Form ist entstanden, indem dem Plural brōðor die Partikel ge- hinzugefügt wurde, um die Gemeinschaft zu bezeichnen (cfr. dazu Heyne-Schücking im Beowulfglossar). Diese Bildung entspricht genau dem althochdeutschen Gebrauche, wo dem Plural bruoder die Partikel ga- hinzugefügt wurde. ae. gebrōðor, gebrōðru ist im Beowulf einmal zu belegen als Dat. Pl. in Vers 1191. In der übrigen angelsächsischen Poesie ist das Wort nicht selten. Zu belegen sind: Der Nom. Pl. in: Reb. 11, Andr. 1029, Ps. 98⁶, Rä. 14², Æðelst. 57, By. 305; der Dat. Pl. in Andr. 1016. — Grein bemerkt bei diesem Worte noch, dass ausser in Reb. 11 und Rä. 14² das Wort an den angeführten Stellen immer nur von Zweien gebraucht wird. Als Komposition ist *wil-gebrōðor* (= fratres familiares) im Nom Pl. in Gen. 971 nachweisbar.

2. ae. *gesweostor* (pl.) = «Geschwister». Dies Wort
ist in der angelsächsischen Poesie nur einmal zu belegen als
Nom Pl. in Rä. 47³. Als Kompositum kommt analog zu
wil-gebröðor auch *wil-gesweostor* (= sorores familiariter con-
junctae, cfr. Grein im „Sprachschatz") vor und zwar als
Nom. Pl. in Gen. 2607. Die althochdeutsche Parallele zu
ae. gesweostor ist geswëster, indem auch hier dem Plural
die Partikel ge-/ga- hinzugefügt wurde zur Bezeichnung der
Gemeinschaft.

3. ae. *hīwan* (m. pl.). Die Bedeutung ist nach Grein's
„Sprachschatz" = «familiares, domestici». Als Belege führe
ich aus der angelsächsischen Poesie an: Nom. Pl.: Gen. 2780;
Acc. Pl.: Gen. 1489; Gen. Pl.: Gen. 2371; Dat. Pl.: Gen.
1345, 1862, 2622. (Also ausschliesslich in der Genesis belegbar). Als Kompositum kommt vor: *sin-hīwan* (pl.) = «die
für immer verbundenen Hausgenossen, conjuges». Als Nom./
Acc. Pl. ist dies Kompositum zu belegen in: Gen. 778, 789,
Gū. 823, 941 (an letzterer Stelle in übertragener Bedeutung
in bezug auf das Verhältnis von Leib und Seele gebraucht),
Jul. 698 (ebenfalls in übertragener Bedeutung); Dat. Pl.:
Gen. 958. Die entsprechende Form im Althochdeutschen ist
hīwun (cfr. dazu Wilmanns a. a. O. S. 724/725).

Das Pluraletantum *hīred-men* (pl.) = familiares sei
hier mit eingeordnet. Es lässt sich einmal als Nom. Pl. in
By. 261 nachweisen.

4. ae. *aðum-swēoras* (m. pl.) = «Eidam und Schwäher».
In der angelsächsischen Poesie ist dies Additionskompositum
nur einmal als Dat. Pl. nachweisbar in Beow. 84. Cfr.
dazu die Anmerkung zu Vers 84 in der Holthausen'schen
und Heyne-Schücking'schen Beowulfausgabe.

Ein Additionskompositum ist auch:

5. *suhtor-fædran/suhterge-fæderan* (pl. m.) =
«Oheim und Neffe». Die Form suhterge-fæderan lässt sich
nachweisen als Nom. Pl. in Beow. 1164; die Form suhtor-
fædran ist belegbar als Nom. Pl. in Wɪ. 46.

6. *cnēo-māgas/-mǣgas* (pl.) = «Verwandte aus demselben Geschlecht oder derselben Generation». Das Wort

111

lässt sich belegen: als Nom./Acc. Pl. in: Exod. 135, Gen.
1733, 1778, Ps. 78[6]; als Gen. Pl. in: Exod. 21, 318, 434;
als Dat. Pl. in: Gen. 1057, Dan. 702, An. 685, El. 587,
688, Ps. 88[3], 104[23], Æðelst. 8.

· Ähnliche Bedeutung haben und ebenfalls pluraletantisch
gebraucht sind: *gemāgas* = «consanguinei» (Nom. Pl.: Gen.
1904) sowie das Kompositum *sib-gemāgas* = «consanguinei»
(Nom. Pl.: Exod. 386).

2. Das Pluraletantum bezeichnet eine nicht näher
bestimmte, unbegrenzte Anzahl von Menschen

Am gebräuchlichsten ist:

1. ae. *ylde/elde/ilde/ælde* (m. pl.)
= «Menschen». Dies Wort ist in der angelsächsischen Poesie
überaus häufig belegbar. Die Form *ylde/ilde* ist nachweisbar als Nom. Pl.: Gen. 221, Exod. 436, Ps. 57[4]; Gen. Pl.:
Andr. 182, 1557, Gen. 480, Beow. 1661, El. 521, Ps. 77[4];
Dat. Pl.: Gen. 2286, Beow. 77, 705, 2117, Men. 88, El. 792,
Ps. 144[9]. — Die Form *elde* lässt sich belegen als: Gen Pl.
in: El. 476, Run. 25; Dat. Pl. in: Wald. 1[11], Beow. 2214,
2314, 2611, 3169, Andr. 1059, Ru. 26, Metr. 8[38], 12[17], 13[60],
20[100], 29[54]. Die Form *ælde* lässt sich am meisten belegen
(cfr. dazu Grein im „Sprachschatz" S. 56).

2. ae. *fīras/fȳras* (m. pl.) = ahd. firahi = «Lebende,
Menschen». Auch dies Wort ist im Altenglischen sehr häufig
nachweisbar. Nur einige Beispiele aus dem Beowulf seien
hier erwähnt; cfr. Gen. Pl. in: Beow. 91, 2001, 2250, 2286,
2741. Alle übrigen Kasus lassen sich in den altenglischen
poetischen Werken häufig nachweisen.

3. Gleiche Bedeutung wie ylde/elde und fīras hat ae.
niððas. In der altenglischen Poesie ist das Wort nur als
Pluraletantum nachweisbar. In der altenglischen Prosa dagegen lässt sich das Wort auch im Singular nachweisen (nið =
homo). Auch bei diesem Worte mangelt es nicht an Belegen.
Von den 31 Stellen, in denen das Wort als Pluraletantum in
der altenglischen Poesie gebraucht wird, nenne ich zwei aus
dem Beowulf; cfr. Gen. Pl. in: Beow. 1005, 2215.

In diesen Abschnitt gehört ferner:

4. *waran* (pl. m.) = «incolae, cives». Als Simplex ist das Wort im Gen. Pl. nachweisbar in: Andr. 1127, El. 982. Ebenso sind Pluraliatantum die Komposita: *burh-waran* = «cives»; cfr. Acc. Pl. in Hö. 134; Gen. Pl. in Hö. 56, Wid. 90, Gen. 2491; *ceaster-waran* = «cives»; Dat. Pl.: Andr. 1648, El. 42; *eorð-waran* = «terricolae»; Nom. Pl.: Met. 4^{57}, 17^1; Dat. Pl.: Cri. 697, 723, Andr. 568, Men. 62, Gū. 579, Met. 13^{60}; *hel-waran* = «inferni incolae»; Nom. Pl.: Hö. 21; Gen. Pl.: Jul. 322, 437, 544, Ps. 85^{12}, 140^9, Cri. 731; Dat. Pl.: Sat. 431, Hö. 24, Gū. 544, Sat. 695. — Auch *waras* (pl. m.) = «cives», das sich in dem Kompositum Sigelwaras nachweisen lässt, kann hier eingerechnet werden (cfr. dazu Grein im „Sprachschatz").

5. Pluraletantum ist auch ae. *geneahhe* = «Nachbarn»; dies Wort ist allerdings nur ein einziges Mal in der angelsächsischen Poesie nachweisbar (cfr. Grein im „Sprachschatz").

6. Weiterhin werden pluraletantisch gebraucht: *gepēode* sowie sein Kompositum *ingepēode*. Ersteres kommt vor als Acc. Pl. in Sat. 19, letzteres als Acc. Pl. in Exod. 433, Ps. 112^4. Die Bedeutung beider ist = «gentes».

7. Zu nennen sind ferner als pluraletantische Bezeichnungen einer nicht näher bestimmbaren Anzahl von Menschen die Komposita von *-weras, -māgas, -gesīðas* und *-men*. So lassen sich belegen als Pluraliatantum:

dryht-weras = «populares, viri»; Nom. Pl.: Gen. 1798; Gen. Pl.: Gen. 2150.

folc-weras = «populares, viri»; Nom. Pl.: Gen. 222, 1846.

lēod-weras = «populares, homines»; Nom. Pl.: Gen. 1833; Dat. Pl.: Exod. 110.

unmāgas = «peregrini»; Nom. Pl.: Wald. 2^{23}.

weoruld-māgas = «Menschen, weltliche Verwandte»; Nom. Pl.: Gen. 2178.

(Auch die oben schon erwähnten gemāgas, cnēo-māgas, sib-gemāgas sind hier zu vergleichen).

folc-gesīðas = «nobiles, pares, populares»; Nom. Pl.: Gen. 2134, Met. 1^{70}; Dat. Pl.: Dan. 412.

weoruld-men = «Menschen»; Nom. Pl.: Met. 4⁵¹, 7⁴¹, 28¹⁰,⁷²; Gen. Pl.: Met. 28³¹, Cri. 1016.

b) Pluraletantischer Gebrauch bei der Bezeichnung von Schmuck- und Rüstungsgegenständen

Lat. arma sowie got. sarwa und wepna beweisen uns, dass Begriffe, mit deren Wesen ein Sich-zusammensetzen aus mehreren einzelnen Teilen verbunden ist, gern als Pluralia-tantum gebraucht werden. Dieselbe Beobachtung lässt sich, und zwar in reicher Auswahl, auch im Altenglischen machen. Es sind hier besonders die Gesamtbezeichnungen für die aus vielen einzelnen Waffenstücken sich zusammensetzende, mit Schmuck verzierte kriegerische Ausrüstung, die pluraletan-tischem Gebrauche folgen. Ich führe im Folgenden einige Beispiele an, indem ich mich dabei in der Hauptsache an den Beowulf anschliesse:

1. ae. *searo*

In der Bedeutung «kriegerische Ausrüstung, kriegerischer Schmuck» lässt sich searo in der altenglischen Poesie aus-schliesslich pluralisch nachweisen. Über die Bedeutung «List» und «Kampf» cfr. Kap. IX. Dass der Angelsachse diesen Begriff als Pluraletantum verwendet, ist leicht erklärlich da-durch, dass bei ihm die Vorstellung an die einzelnen Teile, aus denen sich die Rüstung zusammensetzt, und die man mit grösserer oder geringerer Sicherheit unterscheiden kann, vor-herrschend ist. Oft steht searo auch geradezu in der Be-deutung «Waffenstücke» = alles, was zu des Mannes Aus-rüstung gehört. — Die Beispielsammlung habe ich dem Beowulf entnommen. Besonders berücksichtigt habe ich die Fälle, in denen die plurale Form in singularer Bedeutung steht. Auf das häufige Auftreten des Dat. Pl. und des damit eng verbundenen formelhaften Gebrauches sei ebenfalls hingewiesen. — Die Beispiele aus der übrigen angelsächsischen Poesie, wo searo ebenfalls wie im Beowulf in der Bedeutung «Rüstung» ausschliesslich pluralisch gebraucht wird — ganz gleich, ob singulare oder plurale Bedeutung vorliegt — lassen sich aus Grein's „Sprachschatz" leicht zusammenstellen. — Cfr.:

Beow. 249: . . . Næfre ic māran geseah
eorla ofer eorðan, þonne is ɔower sum
secg on *searwum:* . . .
(Die Bedeutung ist singularisch; die Wendung «secg on searwum» ist formelhaft gebraucht).
Cfr. ferner:
*Beow.2700:*þæt hē þone nīðgǣst nioðor hwēne slōh.
secg on *searwum*;
(Auch hier singulare Bedeutung und formelhafter Gebrauch).
Beow. 323: . . . hringīren scīr,
song *in searwum*
Beow.1557: Geseah þā *on searwum* sige-ēadig bil
(= unter anderen Waffenstücken).
Beow.2568: . . . hē *on searwum* bād.   (sing. Bedeutung).
Sonst lässt sich der Nom. Pl. noch nachweisen in: Beow. 329, Reim. 67; Acc. Pl. in: Exod. 219; Dat. Pl. in: Beow. 2530; Dat. Instr. Pl. in: Beow. 1813. Aus der Spärlichkeit der Belegstellen von ae. searo in der Bedeutung „Rüstung" in der angelsächsischen Poesie mit Ausnahme des Beowulf erkennt man, dass das Wort dem Sprachschatz des letzteren speziell eigentümlich ist. — Von den Kompositis mit pluraletantischem Gebrauche vergleiche: *beadu-searo*, das als Acc. Pl. in Exod. 572 belegbar ist. Das Kompositum *gūð-searo* wird von Heyne-Schücking im Beowulfglossar als st. n. pl. angegeben; es kommt als Acc. Pl. in Beow. 215, 328 vor. Ausserdem ist es als Nom. Pl. in Andr. 127 nachweisbar. Auch *fyrd-searu* (st. n. pl.; cfr. Heyne-Schücking a. a. O.) ist Pluraletantum. Man kann es als Acc. Pl. in Beow. 232 und 2618 belegen.

2. Völlig pluraletantisch als Simplex sowohl wie als Kompositum ist in der altenglischen Poesie auch *frætwe/ frætuwe* (pl. f.) gebraucht. Die Bedeutung ist = «ornamenta, res pretiosae». Besonders werden kostbare Rüstungen gern durch dies Wort bezeichnet (cfr. Holthausen und Heyne-Schücking im Beowulfglossar). Das Wort lässt sich in der altenglischen Poesie überaus häufig (53 mal) nachweisen in

pluraletantischem Gebrauche. Viele Beispiele davon entfallen auf den Beowulf, aus dem ich einige wenige Belege hier anführe. Auch bei frætwe handelt es sich um ein nicht einheitliches Ganzes, um ein aus Teilen sich Zusammensetzendes.

Vergleiche dazu folgende Beispiele:

Acc. Pl.:

Beow. 896: bær on bearm scipes beorhte *frætwa*

Ebenso cfr.: Beow. 214, 1207, 1921, 2503, 2620, 2919.

Gen. Pl.:

Beow. 3133: . . . lēton wēg niman,
    flōd fæðmian *frætwa* hyrde.

Ebenso cfr.: Beow. 37, 2794.

Dat. Pl.:

Beow. 2989: Hē þām *frætwum* feng . . .

Ebenso: Beow. 962, 2163.

Dat. Instr. Pl.:

Beow. 2054: Nū hēr þāra banena byre nāt-hwylces
    frætwum hrēmig ōn flet gæð;

Ebenso Beow. 2784.

Aus der übrigen angelsächsischen Poesie führt Grein im „Sprachschatz" folgende Belegstellen an:

Nom. Pl.: Rä. 8[6], Cri. 808, Phön. 73, 257, El. 1271, Men. 207.

Gen. Pl.: Cri. 806, Phön. 150.

Dat. Pl.: Reim. 38, Gen. 443, Rä. 41[46], Pa. 48.

Acc. Pl.: Phön. 200, 330, 335, 508, Ps. 101[22], Dan. 711, Rä. 14[10], Andr. 337, Jul. 118, Cri. 1074, Gū. 1032, 1256, Gen. 2130, 2188, 2829.

Dat. Instr. Pl.: Phön. 95, 309, 616, Pa. 29, Jul. 564, El. 88, Rä. 15[7], Gn. C. 27, Cri. 507, 522, 556.

Ebenso ist das Kompositum *goldfrætwe* nur pluralisch zu belegen (cfr. Cri. 996). — Weiter ist in diesen Abschnitt einzuordnen:

3. geatwe (pl. f.)

Die Bedeutung von geatwe ist = «Rüstung, Schmuck». Auch dies Wort ist in der angelsächsischen Poesie häufig zu

belegen und zwar ausnahmslos in pluraletantischem Gebrauche.
Aus dem Beowulf führe ich einige Beispiele an; cfr.:

Beow.3088: Ic wæs þær inne ond þæt eall geondseh
recedes *geatwa* (= Acc. Pl.)

Der Dat. Pl. ist zu vergleichen in: Reim. 38, Edw. 22
und der Dat. Instr. Pl. in: Rä. 36[10].

Die Komposita zeigen den gleichen pluraletantischen
Gebrauch wie das Simplex:

eored-geatwe = kriegerischer Schmuck;
Acc. Pl. in Beow. 2866.

gryre-geatwe = Schreckensrüstung; Dat. Pl. in Beow.324.

guð-geatwe = Kampfausrüstung; Dat. Pl. in Beow. 395.

hilde-geatwe = Schlachtschmuck; Acc. Pl. in Beow. 674;
Gen. Pl. in: Beow. 2362.

fyrd-geatwe = kriegerische Rüstung; cfr. Rün. 27.

4. Das bedeutungsgleiche *getāwe* (pl. f.) ist ebenfalls
Pluraletantum. Die Bedeutung ist dieselbe wie in geatwe =
«Rüstung». Sowohl als Simplex (cfr. dazu Grein im „Sprachschatz"), wie auch als Kompositum ist das Wort nur pluralisch
belegbar. Als Komposita lassen sich nachweisen: *guðgetāwe*
(pl. f.) = armatura bellica, cfr. Acc. Pl. in Beow. 2636;
wīg-getāwe (pl.) = Kampfrüstung: Dat. Pl.: Beow. 368 (Heyne-
Schücking ändern in ihrer Beow.-Ausgabe allerdings wīg-
getāwe in wīggeatwe, desgl. Holthausen).

5. *gearwe* (pl. f.) ist ebenfalls hier zu nennen. Die
Bedeutung ist = «Rüstung, Kleidung, Schmuck». Das Wort
ist in der angelsächsischen Poesie öfter belegbar. Auch hier
haben wir es, wie in den bisher behandelten Fällen, mit
einem aus einzelnen Teilen sich zusammensetzenden Begriff
zu tun. Das Wort ist ausschliesslich pluralisch gebraucht.
Nach Grein zitiere ich folgende Belegstellen: den Dat. Pl.
in: Gen. 1212, Men. 76; den Acc. Pl. in: Exod. 59, 193.
Ebenso kommt das Kompositum *feðer-gearwe* nur pluralisch
vor, nämlich als Dat. Instr. Pl. in

Beow. 3119: . . . sceft nytte heold,
feðergearwum fūs flāne fulleode.

6. Neigung zu pluraletantischem Gebrauche ist zweifellos auch vorhanden bei ae. *gewǣdu* = «Kampfausrüstung». Freilich ist hier einschränkend zu bemerken, dass das Wort sich zweimal auch als Singular gewǣde in Rä. 36[4] und Ps. 103[7] nachweisen lässt. Da aber alle übrigen Belegstellen des Simplex gewǣdu, und vor allen Dingen auch sämtliche Komposita ohne Ausnahme pluralisch gebraucht werden auch da, wo nur singularische Bedeutung vorhanden ist, so ist das Wort in diesen Zusammenhang wohl mit einzuordnen. Von gewǣdu habe ich belegen können: Acc. Pl. in: Beow. 292, Rä. 36[12], Ps. 68[11]; Dat. Instr. Pl. in: Rä. 10[4]. — An Kompositis lassen sich nachweisen: *brēost-gewǣdu* (Grein gibt dies Wort auch als Pll.-tant. an, desgl. Heyne-Schücking in der Beow.-Ausgabe) als Nom./Acc. Pl. in: Beow. 1211, 2162; *eorl-gewǣdu* als Dat. Instr. Pl. in: Beow. 1442; *gūð-gewǣdu* als Nom./Acc. Pl. in: Beow. 227, 2617, 2730, 2851, 2871; als Gen. Pl. in: Beow. 2623; *winter-gewǣdu* als Dat. Instr. Pl. in: Phön. 250. — Dass pluralischer Gebrauch bei gewǣdu auch in singularischer Bedeutung vorhanden ist, möchte ich an dem Kompositum brēost-gewǣdu nachweisen, cfr.:

Beow. 1211: Gehwearf þā in Francna fæðm feorh cyninges,
  brēostgewǣdu ond sē bēah somod:

(Hier handelt es sich nur um eine Rüstung, die des Königs; trotzdem steht plurale Form).

Anhangsweise sei zu gewǣdu bemerkt, dass das stammverwandte wǣd = «Kleid, Gewand» auch gern pluralisch auftritt. Nicht weniger als 20 mal lässt sich pluralischer Gebrauch nachweisen, während der Singular nur 4 mal zu belegen ist. Auch kommen die Komposita here-, heaðo-, limwǣd ausschliesslich pluralisch vor. Die ersteren beiden sind im Beowulf nachweisbar, das letztere findet sich in Ps. 103[2] als Dat. Instr. Pl. in der singularen Bedeutung «vestimento» (cfr. Grein im „Sprachschatz"). Neigung zu pluraletantischem Gebrauche scheint mir also auch bei wǣd vorzuliegen.

c) Pluraletantischer Gebrauch bei Körperbezeichnungen

Schon in Kap. II hatte ich darauf hingewiesen, dass einige Körperbezeichnungen, die in der Natur doppelt vorhanden sind, pluraletantisch gebraucht werden. Es waren dies die Bezeichnungen für «Schulter, scapulae, palae» gewesen: *gescyldre:* nachweisbar als Dat. Pl. in Rä. 41[103], 69[4] und *gesculdre:* nachweisbar als Dat. Pl. in Ps. 90[4]. — Hier möchte ich noch die völlig pluraletantisch gebrauchte ae. Bezeichnung für «Lippen, labiae» anschliessen: *weleras/ weoleras*. Nach Grein zitiere ich folgende Belegstellen in der altenglischen Poesie: Nom./Acc. Pl.: Wal. 54, Ps. 62[3, 5], 65[12], 70[21], 118[171], Ps. C. 116, Ps. Th. 11[3], 30[20].

Dat. Pl.: Ps. 58[7], 118[13], 139[3], 140[4].

Dat. Instr. Pl.: Ps. 58[12], 65[13], 105[25].

Neben diesem pl. m. lässt sich auch ein pl. fem. als Nom. weolre nachweisen (cfr.Grein im „Sprachschatz"). — Got.wairilō.

Weitere Belege für das altenglische Pluraletantum übergehe ich hier; sie lassen sich aus Grein's „Sprachschatz" leicht zusammenstellen. In allen Beispielen ist die Beobachtung zu machen, dass es sich stets um nicht-einheitliche, aus einzelnen Teilen zusammengesetzte Begriffe handelt. Bei allen angeführten Fällen entbehren die Pluralia-tantum dadurch, dass sie keinem Singular gegenüberstehen, den Charakter eigentlicher Mehrheitsbezeichnungen. Man fasst sie wie Kollektiva auf (cfr. dazu Wilmanns a. a. O. Bd. III,2, S. 725).

Kapitel IX

Der Pluralgebrauch beim altenglischen Abstraktum

Bei der Lektüre altenglischer Texte kann man die Beobachtung machen, dass abstrakte Begriffe sehr häufig pluralisch gebraucht werden in Fällen, in denen unser heutiges

Sprachgefühl eine Pluralbilduug des betreffenden Wortes nicht
zulassen würdo. Es ist dies eine Erscheinung, die wiederum
nicht nur auf altenglisches Spracbgebiet beschränkt ist, sondern
die sich in älterer Zeit in allen germanischen Sprachzweigen,
besonders stark im Gotischen und Altbochdeutschen nachweisen lässt. Für die althochdeutschen Beispiele verweise ich
auf Wilmanns a. a. O. Bd. III$_2$, S. 718 und 721/22 (siehe auch
unten). In erster Linie handelt es sich bei diesem auffallenden
Pluralgebrauche von Abstrakten um adverbiell gebrauchte
Substantiva im Dat. bezw. Dat. Iustr. Pl., und nirgends tritt
gerade der Dativ als Hauptkasus so stark hervor wie in diesen
Fällen. — Die Erscheinung dieser adverbiell-pluralisch gebrauchten Abstrakta muss schon recht alt sein, denn Brugmann a. a. O. weist sie für das Altindische ebenfalls nach,
wo auch der Dativ allen anderen Kasus voransteht.

Bei der Erklärung dieses Pluralgebrauches sind zwei
Möglichkeiten vorhanden, die Wilmanns für die althochdeutschen Beispiele aufstellt, und die auch für die im Folgenden
zu nennenden altenglischen Beispiele Gültigkeit haben. Schon
in Kap. VII habe ich auf diese Möglichkeiten hingewiesen:
Der Pluralgebrauch kann sich einmal erklären lassen aus
kollektiv-unindividueller Auffassungsweise, oder aber
dem Pluralgebrauch liegt individuelle Anschauung von
Wörtern zu Grunde, die wir heutzutage unindividuell aufzufassen pflegen.

Zu der ersteren Möglichkeit, die man vielleicht am besten
mit der von mir öfter schon angedeuteten intensiven Anschauungsweise in Zusammenhang bringen kann, bemerkt
Wilmanns a. a. O. Bd. III$_2$, S. 721: „Inwieweit für die Plurale
abstrakter Substantiva kollektive" — vielleicht besser inten-
sive — „Auffassung anzunehmen ist, lässt sich nicht sicher
bestimmen, weil oft verschiedene Auffassungen möglich sind.
Doch dürfte ein ansehnlicher Teil der Stellen, wo uns bei
Otfrid der Plural auffällt, hierher gehören: z. B. 4, 21, $_{15}$
«nardou filu diurēn wērdon» eine Narde von grossem Werte.
3, 1, $_{19}$ «von dēn stankon» von dem Leichengeruch (vgl.
nhd. Düfte). 5, 3, $_{18}$ «sī ih bifolahan sīnēn sēganon» der

schützenden Kraft des Kreuzes. 5, 7, ₃ «habëta si (Maria) minnā mihilo sīn» grosse Liebe zu ihm" — hier könnte man neben dem intensiven Gebrauche auch konkrete Einzeläusserungen als Grund zum Pluralgebrauch annehmen —. „3, 8, ₃₈ «forahtūn ina ruartun» Furcht (Furchtanwandlungen = konkrete Einzeläusserungen) berührten ihn (Petrus, als er übers Meer ging). 1, 10, ₂₃ «ginādā sīno wärun, thaz wir nau rūwun», es war seine Gnade, dass wir ihn erbarmten. 3, 20, ₉₅, ₁₀₁ «thiu sëlbun antwurti» diese Antwort. Besonders zahlreich sind die Pluralformen starker und schwacher Feminina auf ī". Von den vielen Beispielen, die Wilmanns für die Pluralformen schwacher Feminina auf ĭ bringt, seien nur einige hier erwähnt: „O. 5, 24, ₉ «giboran wir ni wurtun, ēr thīno mahti iz woltun». 1, 23, ₆ «thio druhtīnes kunfti» die Ankunft des Herrn. 3, 20, ₉ «thëso unmahti» diese Schwäche. 3, 4, ₅₄ «thio unganzi» die Krankheit des Gichtbrüchigen. 2, 14, ₁₁₄ «miltī sīno» seine Freundlichkeit. 5, 3, ₇ «sīno suazi» des Kreuzes Kostbarkeit. 1, 21, ₁₅ «wuahs ēr in wizzīn . . . in wīsduame» nahm zu an Verstand und Weisheit. 3, 9, ₃ «in unwizzīn sīn» töricht sein. — Dann in adverbiellen Bestimmungen: 3, 17, ₃₉ «mit thultin» gelassen; 4, 3, ₆: «mit driuōn» ehrlich; 4, 12, ₂₄: «mit unwirdīn» mit Unwillen; 3, 13, ₄₈ «mit unredinōn» unverständig; 3, 1, ₂₅: «mit ruachōn» aufmerksam; 2, 16, ₃₇: «zi ruachōn duan» zu Herzen nehmen; 1, 7, ₉₄: «mit ällen sūlidōn» in vollem Glück; 1, 22, ₂₇: «si wantun ërnustin, mit grōzēn angustin»; 2, 14, ₈₉ «bi thēn wänin» nach Mutmassung; die Beteurung «thēn meinōn» u. a. Wie wenig", so führt Wilmanns weiter aus, „Otfrid solche Plurale, besonders die auf ī als Mehrheitsbezeichnungen empfand, zeigt sich darin, dass er gelegentlich neben ihnen das prädikative Verbum in den Singular setzt, und darin, dass er sie mit *ein* verbindet, z. B.: «bi einēn libōn» aus Schonung; «bi einēn ruachōn» aus Rücksicht; «zi einēn gihugtin». — Weiteres zu dem intensiven (kollektivunindividuellem) Pluralgebrauch bei althochdeutschenAbstrakten cfr. bei Wilmanns a. a. O. III₂ S. 722/723. — Zu der zweiten Erklärungsmöglichkeit des Pluralgebrauches von abstrakten

Begriffen durch individuelle Anschauungsweise ist zu vergleichen das, was Delbrück „Vergleich. Syntax" 1, 147, 166 ff. und Brugmann „Kurze vergleichende Grammatik" 414 über die Pluralfähigkeit von «Abstrakten, die in konkrete Bedeutung hinüberschwanken» lehren: aus Beispielen, wie ahd. «mit wunnon», nhd. «mit freuden, aus gnaden, in treuen, in ängsten, zu gunsten», aisl. «áster» „geschlechtliche Liebe", lat. «gratiae» und Pll.-t. «grātes» „dank", «inimīcitiae, celeritates und tarditātēs» Cic., griech. «χάριτες» „Gunstbeweise, Gunst", «ἐν εὐφροσύναις» „in Frohsinn, mit Heiterkeit", homer. «εὔφροσύ νησιν», homer. «ἀναλκαίησι», „durch Schwäche, Feigheit", «ἀταοϑαλίαι» „Frevel, Frevelmut", ai. ved. «rákṣaṇebhīh» „mit Schutz", «mahitvébhih» „mit Macht" ist zu ersehen, «dass gewisse Vorgänge und Handlungen, Stimmungen und Zustände als wiederholte Akte gedacht werden» (Delbrück), oder es «kann der Plural eine in sich irgendwie mehrheitliche oder eine wiederholte Handlung oder Manifestation der Eigenschaft auszudrücken» (Brugmann). Cfr. dazu auch Osthoff in den I. F. XX, S. 197/198. Am besten lässt sich dieser Pluralgebrauch im Sinne einer wiederholten Tätigkeit wohl als iterativer bezeichnen. Wilmanns a. a. O. S. 718 bemerkt zu diesem Pluralgebrauche: „Aus der individuellen Auffassung von Wörtern, die wir nach ihrem jetzigen Gebrauche oder nach ihrer Bildung unindividuell aufzufassen geneigt sind, lassen sich oft Pluralformen erklären, die uns bei Otfrid auffallen. Wir wir mit Narrheit, Torheit, Bosheit einerseits Eigenschaften bezeichnen, andererseits aber auch einzelne Taten, in denen diese Eigenschaften sich zeigen, so braucht Otfrid nicht nur «bōsheiti» 4, 4, 66, sondern 1, 1, 4 auch «chuanheiti» Taten der Tapferkeit, 2, 7, 22 «mehti» Krafttaten, 3, 10, 10 «hëlfā» hilfreiche Taten, 1, 17, 40 «unkusti» üble Taten, 1, 23, 46 «fordorōno guatī» gute Handlungen der Vorfahren, 3, 7, 22 «giloubtun sīno guatī» sie glaubten an die Macht, die sich in verschiedenen Taten geoffenbart hatte, 3, 26, 66 «unsero ubilī joh managfalto fravilī» Übel- und Freveltaten. Ähnlich auch 1, 18, 30 «dua thir scōno furiburti» übe dich in der Enthaltsamkeit; Sal. 22 «ir mir dātut zuhti» du hast mir Unterricht erteilt, Anweisungen gegeben. Überall lässt sich mit den Worten die Vorstellung wiederholter Betätigung verbinden. Ebenso wenn im Gotischen 2. Kor. 1, 3 Gott = «atta bleiþeinô jah guþ allaizô gaþlaihtê», der Vater der Barmherzigkeit und der Gott alles Trostes genannt wird; seine Barmherzigkeit und sein Trost zeigt sich in vielen Äusserungen. — Weiteres cfr. bei Wilmanns selbst S. 719.

_____

Bei der Betrachtung des Pluralgebrauches beim Abstraktum im Altenglischen möchte ich vorausschickend bemerken, dass, wie es scheint, die angelsächsische Prosa abstrakte Begriffe weniger oft in pluralischer Verwendung aufweist als die altenglische Poesie. Wülfing z. B. a. a. O. Bd. I, S. 277 gibt nur wenige Belege für das Vorkommen pluralisch gebrauchter Abstrakta in den Werken Alfreds des Grossen. — Er nennt dort:

iermþum: Or. 66_{19}; ermþum: Bo. 226_{14}; ermþa|: Bo. 304_{26}; gnornunga: Bo. 261; rümmôdnessa: Cp. 322_{10}.

a) Pluralisch gebrauchte Abstrakta in adverbiellem Sinne

In adverbiellem Sinne kommt — wie in der Einleitung zu diesem Kapitel schon angedeutet wurde — fast ausschliesslich der Dat. bezw. Dat. Instr. Pl. bei Abstrakten vor in der altenglischen Poesie. Ein grosser Teil der hier behandelten pluralisch gebrauchten Abstrakta sind — Wilmanns weist dies fürs Althochdeutsche gleichfalls nach — Feminina der i-Deklination. — Die gegebene Beispielsammlung lässt sich noch erweitern. — Ehe ich zur Aufzählung der einzelnen Belege übergehe, muss ich noch einen Erklärungsversuch dieses Pluralgebrauches berücksichtigen, der von Cosijn gemacht worden ist, und auf den ich schon im Anhang zu Kap. II verwiesen hatte. Eins dieser Beispiele, nämlich ae. «lufum» sieht Cosijn nur als scheinbare Dat. Pl.-form an und vermutet in ihr einen Instr. Sg. auf -mi. Ich halte dies für völlig ausgeschlossen und schliesse mich der ablehnenden Meinung Osthoffs an (cfr. a. a. O. (I. F. XX) S. 197/198). — Weiter ist zu dem ad-

verbiell-pluralischen Gebrauch von Abstrakten zu vergleichen:
Jacob Grimm's Gramm. III, 136 ff., 152 ff.; Delbrück a. a. O.
579; O. Behaghel: „Die Syntax des Heliand" 41 und Sütterlin: „Die deutsche Sprache der Gegenwart" 143.

Die meisten der zu nennenden altenglischen Beispiele
dürften dem intensiven, einige wenige aber auch dem iterativen Pluralgebrauche zuzurechnen sein. — Dass im Althochdeutschen adverbiell-pluralisch gebrauchte Abstrakta im Dat.
bezw. Dat. Instr. nichts Seltenes sind, wurde in der Einleitung zu diesem Kapitel bei der Betrachtung des intensiven
und iterativen Pluralgebrauches von Abstrakten schon bemerkt. Weitere Beispiele fürs Alt- und Mittelhochdeutsche,
sowie fürs Litauische, Altisländische, Altfriesische und Altsächsische finden sich a. a. O. in Osthoff's Aufsatz. — Zu
beachten ist in vielen Fällen das Hinüberschwanken der Abstrakta in konkrete Bedeutung.

α) Der Dat. Instr. Pl. eines Abstraktums in
adverbiellem Sinne

Der pluralische Gebrauch eines Abstraktums im Dat. Inst.
in adverbiellem Sinne überwiegt hier die singularische Verwendung ganz bedeutend. Delbrück fasst im „Synkretismus"
S. 169 ff. diese Instr. Pl. als Instrumentale der begleitenden
Umstände auf. — Als Beispiele sind zu belegen:

ofestum/ofstum = eilig

Gen. 2336: Abraham þa *ofestum* legde hleor on eorðan
Gen. 2535: . . . ac he *ofstum* forð
     lastas legde
Gen. 2911: Him þa *ofstum* to ufan of roderum
     wuldorgast godes wordum mælde.
Gen. 2661: gif he *ofestum* me ærenda wile
     þeawfæst and geþyldig þin abeodan
Exod. 282: yð up færeð, *ofstum* wyrceð
     wæter and wealfæsten.
Dan. 257: . . . *ofestum* heredon
     drihten on dreame

Gu. 1270: and þā ærendu eal biþence
ofestum læde, swā ic þē ǣr bibēad
lāc tō lēofre.

Jud. 35: . . . Hēt þā nīða geblonden
þā ēadigan mægð ofstum fetigan
tō his bedreste . . .

Phön. 190: þæt hē þā yldu ofestum mōte
þurh gewittes wylm wendan tō life;

Pa. 52: faraÞ foldwegum folca þrȳðum,
ēoredcystum ofestum gefȳsde
dareðlācende

Rä. 41[11]: And mec semninga slǣp ofergongeð,
bēoð ēagan mīn ofestum betȳned.

Men. 193: . . . And þæs ofstum bringð
embe fēower niht folce genihtsum
Blōtmōnað on tūn.

ofestum/ofstum miclum = sehr eilig

Gen. 2501: ālǣde of þysse lēodbyrig, þā þē lēofe sīen,
ofestum miclum and þīn ealdor nere

Gen. 2671: . . . Heht þā sylf cyning
him þā Abraham tō ofstum miclum.

Gen. 2929: þone Abraham genam and hine on ād āhōf
ofestum miclum for his āgen bearn.

Sat. 628: Āstigað nū, āwyrgde, in þæt wītehūs
ofostum miclum, nū ic ēow ne con!

Jud. 10: . . . Hie þæt ofstum miclum
rǣfndon rondwiggende . . .

Jud. 70: . . . wiggend stōpon
ūt of þām inne ofstum miclum

El. 44: . . . þā sē cāsere heht
ongēan grammum gūðgelǣcan
under earhfære ofstum miclum
bannan tō beadwe . . .

El. 102: Heht þā ofstum myclum
Constantinus Cristes rōde
tīrēadig cyning tācen gewyrcan

El. 1000: ... Hie sē cāsere heht
ofstum myclum eft gearwian
sylfe tō sīðe.

spēdum = 1. glücklich (prospere: Grimm, Gram. III, S. 137)

Ps. 118¹³²: Gerece þū mē swylce, þæt ic on rihtne weg
æfter þīnre spræce spēdum gange,
þȳ læs mīn ænig unriht āhwær wealde!

Ps. 118⁶⁰: þās ic mē on frōfre fæste hæbbe
on mīnum eaðmēdum ungemete swȳðe,
forðon mē þīn spræce spēdum cwycade.

=. **2.** eilig, festinatim

Gen. 2398: Gewiton him þā ædre ellorfūse
æfter þære spræce spēdum feran;

Gen. 2667: ... spēdum sægde
eorlum Abimeleh, egesan geðrēad,
wealdendes word.

miclum spēdum = 1. sehr glücklich, gesegnet

Gen. 121: ... þā wæs wuldortorht
heofonweardes gāst ofer holm boren
miclum spēdum.

(Grein in seiner Übersetzung der angelsächsischen Poesie
übersetzt: «in hoher Segensfülle»).

2. sehr eilig, in rascher Eile

Gen. 2034: ... Him þā brōðor þrȳ
æt spræce þære spēdum miclum
hældon hygesorge heardum wordum.

listum = listig, auf listige Weise
(Grimm, Gram. III, 137: callide; Grein „Sprachschatz":
artificiose, considerate, cogitate)

Beow. 781: þæt hit ā mid gemete ænig manna,
betlic ond bānfāg tobrecan meahte,
listum tōlūcan (listiger Weise).

Gen. 177: ... and him listum ātēah
rib of sīdan („kunstvoll" nach Grein's Übers.)

Jud. 101: ... and þone bealofullan
listum ālēde, lāðne mannan (listig).

Met. 13⁴²: . . . þeah him wolde hwilc
heora lāreowa *listum* beodan
þone ilcan mete, . . . (listig)

Met. 1⁵⁹: . . . Angan þā *listum* ymbe
þencean þearflīce . . .
(Grein: er begann da „reiflich" zu überlegen)

Ps. 87¹⁰: Ne hūru wundur wyrceað dēade,
oððe hī *listum* lǣceas weccean
and hī andettan þē ealle syððan!

Reim. 54: blǣd his blinnið, blisse linnið,
listum linneð, lustum ne tinneð.

Rä. 30³: Ic wiht geseah wundorlīce
hornum bitwēonum hūðe lǣdan,
lyftfæt leohtlīc *listum* gegierwed
(Grein: „lieblich".)

lustum = freudig (Grimm, Gram. III, S. 137: libenter)

Beow. 1653: Hwæt, wē þē þās sǣlāc, sunu Healfdenes,
lēod Scyldinga, *lustum* brōhton (gern).

Gen. 16: þegnas þrymfæste þēoden heredon,
sægdon *lustum* lōf . . .

Gen. 2239: . . . *lustum* ne wolde
þēowdōm þolian (Grein: willig)

El. 702: . . . Ic þæt hālige trēo
lustum cȳðe (freudig)

El. 1251: leoðucræft onlēac, þæs ic *lustum* brēac
willum in worlde (freudig)

Gū. 496: . . . þā hē *lustum* drēag
eaðmōd on eorðan ehtendra nīð.

Cri. 1224: . . . þā ær sīnne cwide georne
lustum lǣstun on hyra līfdagum
(freudig, mit Freude)

Met. 9⁴⁴: eall þæt Nerōne nēde oððe *lustum*,
heaðorinca gehwilc, hēran sceolde (freiwillig)

Seel. 133: . . . mid gefēan sēceð
lustum þæt lāmfæt, þæt hīe ær lange wæg (freudig)

Seel. 136: þonne þā gāstas gode word sprecað,
snottre, sigefæste, and þus sōðlīce
þone līchoman *lustum* grētað (freudig)

Reiml. 12: Giestas gengdon, gērscype mengdon,
lisse lengdon, *lustum* glengdon (gern)

Reiml. 54: blǣd his blinnið, blisse linnið,
listum linneð, *lustum* ne tinneð (gern)

Bo. 20: ... Hine fǣhðo ādrāf
of sigeþēode: heht nū sylfa þē
lustum lǣran, ... (Grein: „dringend")

Hy. 10[6]: ic þē ēcne god ǣnne gecenne,
lustum gelȳfe (gern)

Ps. 54[18]: þū eart sē man, þe mē wǣre
on ān mēde and æghwæs cūð
lātteow *lustum*.

Ps. 53[6]: Ic þē *lustum* lāce cwēme (Grein: voluntarie)

Ps. 62[1]: God mīn, god mīn! Ic þē gearuwe tō
æt leohte gehwām *lustum* wacie:

Ps. 70[2]: Āhyld mē þīn ēare tō holde mōde
and mē *lustum* ālȳs ...

Ps. 77[24]: Forðon hī ne woldon wordum drihtnes
lustum gelȳfan, lāre forhogedon.

Ps. 102[11]: Forðon þū æfter hēahweorce heofenes þīnes
mildheortnysse, mihtig drihten,
lustum cȳðdest ...

Ps. 115[7]: þū mē tōbræce bendas grimme,
þæt ic þē lāces lof *lustum* secge.

Ps. 118[97]: hū ic æ þīne, ēce drihten,
lustum lufode!

Ps. 118[159]: Swylce ic sylf geseah, þæt ic þīn sōð bebod
lustum lufige.

Ps. 118[167]: Hafað sāwl mīn sōð gehealden
þīnre gewitnesse worda æghwylc
and ic þā *lustum* lufade swīðe.

Ps. 129[7]: Forðon is mildheortnesse miht on drihtne
and hē ālȳseð *lustum* ealle;

Ps. 121⁶: ... þā þe nēode þē
         on heora lufum *lustum* healdað.

Ps. 138⁸: Hwæt! mē þīn hand þyder ofer holma begang
         lædeð *lustum.*

Ps. 54¹⁸: þæt þū symle sāwle mīne
         lustum ālȳse.

Ähnlich cfr. Ps. 80¹².

lustum miclum = sehr freudig, in grosser Freude

Gen. 1494: stāh ofer strēamweall, swā him sēo stefn bebēad,
         lustum miclum ... (sehr freudig)

Ps. 99³: and hine weorðiað on wīctūnum
         mid lofsangum *lustum myclum!* (sehr freudig)

unlustum = ohne Freude, freudlos

Sal. 268:   ... Sē grimma fugel
         licgeð lonnum fæst, wunað *unlustum,*
         singeð syllīce;

ēstum = gnädig, freundlich, gern, geziemend

Beow. 1194: Him wæs ful boren ond frēondlaðu
         wordum bewægned ond wunden gold
         ēstum gēeawed   (Grein: „artig")

Beow. 2149: þā ic þē, beorncyning, bringan wylle,
         ēstum gēȳwan   (Grein: „mit Freuden")

Beow. 2378: hwæðre hē hine on folce frēondlārum hēold,
         ēstum mid āre, ...   (Grein: „freundlich")

Gen. 2356: Ic Ismael *ēstum* wille
         bletsian nū, ...   (Grein: „gnädig")

Gen. 1951: ... Hē frēan hȳrde
         ēstum on ēðle (Grein: „willig")

Rä. 27²⁴: ... þā hyra tȳr and ēad
         ēstum ȳcað ...

Ps. 140⁸: Swylce ic āhafenes handa mīnra,
         þonne ic þē æfenlāc *ēstum* secge.

ēstum miclum = sehr gnädig, sehr gern

Beow. 958: Wē þæt ellenweorc *ēstum miclum,*
         feohtan fremedon   (sehr gern)

æfstum = eifersüchtig, aus Eifersucht

Mōd. 43: . . . searwum læteð
wine gewæged word ūt faran,
æfestum onæled oferhygda ful
(Grein: „in Eifersucht")
wundrum = mirabiliter, auf wunderbare Weise
Beow.1452: . . . swā hine fyrndagum
worhte wæpna smið, *wundrum* tēode
(„auf wunderbare Weise": cfr. Heyne-Schücking im
Beowulfglossar, cfr. desgl. Holthausen).
Dan. 111: hū woruld wære *wundrum* getēod
(Grein: „wunderlich")
Oft dient wundrum — genauso wie þrymmum und þrȳðum —
nur zur stärkeren Hervorhebung eines Adjektivums, cfr. z. B.:
Phön. 85: þone wudu weardað *wundrum fæger*
fugel feðrum strong . . .
(Grein: den Wald bewacht ein «wunderschöner» Vogel).
Ebenso:
Phön. 307: Wrætlīc is sēo womb neoðan, *wundrum fæger.*
Dieselbe Formel «wundrum fæger» = „wunderschön"
findet sich auch in *Phön. 232.* — Ähnlich lautet:
Phön. 63: . . . ac þær lagustrēamas
wundrum wrætlīce wyllan onspringað
(Grein: „wunderherrlich")
Phön. 468: . . . þær hē *wundrum fæst*
wið nīða gehwām nest gewyrceð.
(Grein: wunderfest)
Ebenso in Andr. 1494.
Wand. 98: Stondeð nū on lāste lēofre duguðe
weal *wundrum hēah* wyrmlīcum fāh:
(Grein: „wunderhoch")
Andr.1499: . . . Hē wið ānne þæra
mihtig and mōdrōf mæðel gehēde
wīs, *wundrum glēaw,* word stunde āhōf:
(Grein: „wunderbar klug")
Jul. 264: . . . þē sind heardlīcu
wundrum wælgrim wītu geteohhad
tō gringwræce. (Grein: „wunderbar grausam")

wundrum in der Bedeutung «mirabiliter» findet sich ferner in: Gū. 1090; El. 1238; Pa. 19, 27; Phön. 342; Cri. 1186; Ruin. 21; Sch. 61; Met. 29[17]; Rä. 36[1], 37[2], 51[1], 68[2], 81[1, 6, 35]; Gn. Ex. 74; Gn. C. 13; Ps. 75[4], 118[136], 147[4].

andrysnum = schicklich, wie es sich ziemt

Ps. 122[2]:   Efne mine eagan synt ealra gelicast
þonne esne bið, þonne *ondrysnum*
his hlaforde hereð and cwemeð

ārstafum = huldvoll, ehrenvoll

Rä. 27[24]:   ... þa hyra tyr and ead
estum ycað and hi *ārstafum*
lissum bilecgað ...

firenum/fyrenum = heimtückisch, hinterlistig

Beow. 1744: se þe of flanbogan *fyrenum* sceoteð.

(Heyne-Schücking und Holthausen: „tückisch"; Grein: „furchtbar").

Beow. 2441: þæt wæs feohleas gefeoht, *fyrenum* gesyngad
Hreðle hygemeðo;

(Heyne-Schücking: „hinterlistig" (inbezug auf Hæðcyns Mord an Herebald, der unversehens geschah); Grein: „sündhaft"; Holthausen sowie Klaeber nehmen die Bedeutung „ausserordentlich, besonders, sehr" an. Cfr. dazu Anz. f. dtsch. Altert. XV, S. 188 und G. Binz, Baseler Festschrift (1907) S. 185).

Cri. 1617:   ... Earm bið se þe wile
firenum gewyrcan (in frevlerischer Weise)

Wal. 44:   ... þe his willan her
firenum fremmað; (in frevlerischer Weise)

Weniger deutlich ist Cri. 1104.

Wie wundrum wird auch der Dat. Instr. Pl. firenum/fyrenum zur Steigerung eines Adjektivs gebraucht. Die Bedeutung ist hier meist = „gewaltig, schrecklich, überaus, sehr". Als Beispiele sind zu beachten:

Gen. 316:   forst *fyrnum* cald
(Grein: „furchtbar" kalt); ebenso

Gen. 809:   færeð forst on gemang, se byð *fyrnum* ceald

Gen. 832: ... nære hē *firnum* þæs dēop,
merestrēam þæs micel, ...

(Grein: „furchtbar" tief)

Gū. 236: ... cleopedon monige
feonda foresprecan, *firenum* gulpon:

(sie rühmten sich „sehr")

Man kann diese Beispiele auch, wie Grein das im „Sprachschatz" tut, ansehen als Dat. Instr. Pl. Neutr. des Adjektivs firen = „immanis, portentosus", sodass der adverbielle Gebrauch firenum in der Bedeutung „immaniter, immensum, formidolose" dem adverbiellen Gebrauche von miclum etc. entsprechen würde. — Holthausen sowohl wie Heyne-Schücking im Beowulfglossar sehen dagegen in diesen Fällen den Dat. Instr. Pl. des Substantivums firen.

snyttrum = weislich, verständig

Beow. 872: ... secg eft ongan
sīð Bēowulfes *snyttrum* styrian

(Holthausen: „weislich")

Beow. 942: þe wē ealle ǣr ne meahton
snyttrum besyrwan

(Heyne-Schücking: „bei aller Weisheit")

Andr. 646: ... *snyttrum* blōweð
beorhtre blisse brēost innanweard

(Grein: „in Scharfsinn")

Gū. 736: ... þæt wē wīsdōm ā
snyttrum swelgen (Grein: „mit Klugheit")

unsnyttrum = unweislich, töricht, unverständig

El. 947: ... Wite þū þe gearwor
þæt þū *unsnyttrum* ānforlēte
leohta beorhtast and lufan drihtnes

(törichterweise)

Gū. 831: ... weorces onguldon
dēopra firena þurh dēaðes cwealm,
þe hy *unsnyttrum* ǣr gefremedon.   (unweislich)

Jul. 145: Onwend þec in gewitte and þā word oncyr,
þe þū *unsnyttrum* ǣr gesprǣce;

(Grein: „unklug")

Jul. 308:   Swylce ic Egias ēac gelærde,
           þæt hē *unsnytrum* Andreas hēt
           āhōn hāligne on hēahne bēam
                    (Grein: „unbesonnen“)

þȳrðum = vorzüglich, sehr, höchst

Oft dient þrÿðum wie wundrum und firenum zur Steigerung eines Adjektivs:

Beow. 494: þǣr swīðferhðe sittan ēodon,
          þrÿðum dealle.

(höchst stolz; cfr. dazu Holthausen und Heyne-Schücking im Beow.-glossar).

Rä. 38[2]:   Ic þā wiht geseah; womb wæs on hindan
             þrÿðum āþrunten, . . . (sehr)

Rä. 87[2]:   Ic seah wundorlice wiht, wombe hæfde micle
             þrÿðum geþrungne; (sehr)

Cri. 970:   . . . tēonlēg somod
             þrÿðum bærneð þrēo eal on ān
             grimme tōgædre; (heftig, gewaltig)

Weniger klar tritt die adverbielle Bedeutung von þrÿðum in Andr. 376 hervor; doch übersetzt auch hier Grein = „mächtig“; ob in Andr. 1150 þrÿðum an adverbielle Bedeutung grenzt, kann ich nicht entscheiden.

geþyldum = stetig, dauernd, mässig, geduldig

Beow. 1705: . . . Eal þū hit *geþyldum* healdest,
          mægen mid mōdes snyttrum.

Gū. 454:   ne gē þæt *geþyldum* þicgan woldon,
          ac mē . . . (Grein: „mit Mässigkeit“)

Gū. 886:   . . . hē *geþyldum* bād (geduldig)

ārum = würdevoll, würdig, herrlich, gut
                  (cfr. schon Kap. VII).

Die einzelnen Beispiele sind schon angeführt, cfr. Beow. 296, 1099, 1182.

āðum = durch Eide, eidlich

Beow. 1097: . . . Fin Hengeste
          elne unflitme *āðum* benemde;

āðum benemnan = eidlich verpflichten, ebenso als formel-

haftes Gut zu betrachten wie die Wendung āðas swerian
(3 mal in der altenglischen Poesie belegbar).

þrymmum = gewaltig, heftig, valde

Beow. 235: þegn Hrōðgāres *þrymmum* cwehte
mægenwudu mundum (mit Macht, gewaltig)
(Cfr. dazu Heyne-Schücking im Beowulfglossar).

Weniger klar tritt die adverbielle Bedeutung in Cri. 388
hervor (Grein: „aus allen Kräften unverdrossen").

drēamum = in Jubel, fröhlich

Beow. 99: Swā þā drihtguman *drēamum* lifdon
ēadiglīce, . . .
(cfr. Heyne-Schücking im Beowulfglossar).

ferhðum = herzlich froh, fröhlich, mit ganzer Seele

Beow. 1633: ferdon forð þonon fēðelāstum
ferhðum fægne (herzlich froh)

Beow. 3177: þæt mon his winedryhten wordum herge,
ferhðum frēoge . . . (herzlich, mit ganzer Seele)
(cfr. dazu ebenfalls Heyne-Schücking im Beowulfglossar).

strengum = gewaltig, strenge, mit Macht, violenter
(cfr. Heyne-Schücking im Beowulfglossar).

Beow. 3117: þonne stræla storm *strengum* gebæded
scōc ofer scildweall, . . .
(Der Pfeile Sturm „mit Macht" geschnellt)

Gen 1676: *strengum* stēpton stænene weall
ofer manna gemet . . . (Grein: „strenglich")

searwum = 1. listig, arglistig

Mōd. 40: siteð symbelwlonc, *searwum* lǣteð
wīne gewǣged word ūt faran (Grein: „listvoll")

Andr. 745: „Gē synd unlǣde earmra geþōhta
searowum beswicene (arglistig berückt)

2. artificiose, diligenter; auch abgeschwächt zu „sehr"

Exod. 470: . . . mǣgen wæs on cwealme
fæste gefeterod, forðganges nēp
searwum āsǣled. (Grein: „sehr")

Dan. 40: þǣr Salem stōd *searwum* āfæstnod
(Grein: wo Salem stund „gar sehr" befestigt)

Phön. 269: . . . *searwum* gegædrað

bān gebrosnad æfter bælþræce (Grein: „eifrig")

Beow. 1038: . . . þāra ānum stōd

sadol *searwum* fāh . . . („kunstvoll" ausgelegt)

Beow. 2764: . . . þær wæs helm monig,

eald ond ōmig, earmbēaga fela

searwum gesæled. („kunstvoll" geflochten)

Cfr. zu diesen beiden Stellen Heyne-Schücking im Beowulf-glossar.

Rä. 30⁶: wolde hyre on þære byrig būr ātimbran,

searwum āsettan. (Grein: „kunstvoll")

Rä. 57⁵: . . . daroðas wæron

wēo þære wihte and sē wudu *searwum*

fæste gebunden. (Grein: „sorgsam")

weorcum = mühsam, mit Mühe

(cfr. Heyne-Schücking im Beowulfglossar).

Beow. 1638: . . . fēower scoldon

on þæm wælstenge *weorcum* geferian

tō þæm goldsele Grendles hēafod;

(Grein: „mit Mühe und Anstrengung")

þingum = potenter, violenter

(cfr. dazu Grein im „Sprachschatz" S. 593).

Rä. 61¹⁴: hū mec seaxes ord and sēo swīðre hond,

eorles ingeþonc, and ord somod

þingum geþȳdan, . . . (= violenter)

Ps. 61⁶: Hwæðre ic mē sōðe sāwle mīne

tō gode hæfde georne geþēoded:

hē mīnre geþylde *þingum* wealdeð. (=potenter)

þēawum = wie es hergebracht war, geziemend

(cfr. Heyne-Schücking im Beowulfglossar).

Beow. 2144: Swā sē þeodcyning *þeawum* lyfde:

(Grein: „nach Fug und Sitte")

Gen. 2644: . . . þære þe hēr leofað

rihtum þēawum

Hier ist die adverbielle Bedeutung allerdings wenig klar. Gut erkennbar dagegen ist sie in:

Jud. 129: *þēawum* geþungen þyder onlædde (Grein: „hehr")

Wî. 11:   sceal þeodna gehwylc *þeawum* lifgan.

An adverbiellen Gebrauch grenzen auch die häufig belegbaren Verbindungen vom Dat. Instr. Pl. þeawum mit einem
Adjektiv bezw. Part. Perf. Ausser dem oben schon angeführten *þeawum geþungen* lässt sich noch nachweisen: *þeawum
geþyde* (Crä. 68); *þeawum geþancul* (An. 462); *þeawum hydig*
(Gen. 1705).

willum ═ willig, nach Wunsch
Oft in Verbindung mit dem Gen. Sg. bezw. Pl. von self/sylf
in der Bedeutung „freiwillig“ vorkommend.

Beow. 1821: . . . Wæron her tela
          willum bewenede;
(„nach Wunsch“ bewirtet; „so gut wir's wünschen konnten“;
cfr. Holthausen und Heyne-Schücking im Beowulfglossar).

Môd. 72:   þonne bið þam ôðrum ungelîce
          sê þe her on eorðan eaðmôd leofað
          and wið gesibbra gehwone simle healdeð
          frêode on folce and his fêond lufað,
          þeah þe he him abylgnesse oft gefremede
          willum in þisse worulde   (Grein: „gern“)
     Ebenso:

Râ. 84[7]:   þancode *willum*   (dankte „willig“: Grein)

Gû. 170:   . . . gif he monna drêam
          of þam orlege eft ne wolde
          sylfa gesêcan and his sibbe ryht
          mid moncynne maran cræfte
          willum bewitigan   (Grein: „freudig“)

Gû. 1347:   . . . *willum* nêotan
          blædes and blissa!   (Grein: „in Wonne, freudig“)

Cri. 1351:   Gê þæs earnedon, þa gê earme men
          woruldþearfende *willum* onfêngun
          on mildum sefan: . . .

El. 1252:   . . . þæs ic lustum brêac
          willum in worlde.   (Grein: „gern“)

Dom. 82:   Wille þonne forgieldan gæsta dryhten
          willum æfter þære wyrde wuldres ealdor
          þam þe his synna nu sare geþenceð
                    (Grein: „mit Freuden“)

Met 13[41]:   . . . hī on trēowuṃ wilde
            ealdgecynde ā forð siððan
            willum wuniað;

Ps. 118[14]: And ic on wegum swylce wynnum gange,
            þær ic þīne gewitnesse wāt ful clæne,
            swā ic ealra welena *willum* brūce.

Weniger deutlich ist der adverbielle Sinn zu erkennen in: Cri. 1344, 1520 und El. 452.

Adverbiell gebraucht wird der Dat. Instr. Pl. willum in Verbindung mit dem Gen. Sg. bezw. Pl. des Pronomens self/ sylf zur Bezeichnung unseres „freiwillig" an folgenden Stellen: *selfes/sylfes willum*: Beow. 2223, 2639; Cri. 1484.
selfra/sylfra willum: Gū. 53; Met. 10[19].

Auch die Verbindungen *willum mīnum* (Cri. 1493), *willum sīnum* (Rä. 87[11]) grenzen an adverbiellen Gebrauch.

unwillum = unwillig, ohne Willen

Cri. 1491: . . . Hwæt! mē þeos heardre þynceð:
            nū is swærre mid mec þīnra synna rōd,
            þe ic *unwillum* on bēom gefæstnad.
                  (Grein: „ohne meinen Willen")

Met. 1[24]: sealdon *unwillum* ēðelweardas
            hālige āðas (Grein: „unfreiwillig")

Wal. 4: sē bið *unwillum* oft gemēted
            frēcne and ferðgrim fareð-lācendum
                  (Grein: „unerwünscht")

Auch Formen wie *mīnum unwillum* (Seel. 63) und *heora unwillum* grenzen an adverbiellen Gebrauch.

ungemetum = überaus
(Zu ungemet, n. = Übermass; cfr. dazu Grein im „Sprach-schatz" S. 261).

Rūn. 3: þorn byð þearle scearp, *ungemetum* rēðe
         manna gehwylcum . . .

Run. 11: īs byð oferceald, *ungemetum* slidor

Ps. 115[1]: Ic þæt gelȳfde, forðon ic lȳt sprece;
         ic eom ēadmēde *ungemetum* swīðe.

Ps. 118[67]: Ǣrþon ic gehēned hēan gewurde,
         ic āgylte *ungemetum* swīðe:

Ps. 118[107]: And ic ēadmēdu *ungemetum* georne
efnan þence: . . .

Ps. 142[1]: Drihten, mīn gebed dēore gehȳre
and mid ēarum onfōh *ungemetum* georne
mīne hālsunge!

Aus diesen Beispielen geht hervor, dass ungemetum wie þrȳðum, firenum, wundrum zur Steigerung eines Adjektivs gern verwandt wird.

bisgum/bysgum = schmerzlich, heftig

Beow. 1743: . . . bið sē slǣp tō fǣst,
bisgum gebunden (mühevoll)

Beow. 2580: . . . þæt sīo ecg gewāc
brūn on bāne, bāt unswīðor
þonne his þīodcyning þearfe hæfde,
bysigum gebǣded. (heftig)

wurðmyndum/weorðmyndum = würdevoll; würdig;
herrlich

Exod. 258: werodes wīsa *wurðmyndum* sprǣc;
(Grein: „würdevoll")

Andr 907: . . . wāt æfter nū,
hwā mē *weorðmyndum* on wudubāte
ferede ofer flōdas: (Grein: „mit Hochwürde")

An adverbiellen Gebrauch grenzt auch:

Beow. 8: wēox under wolcnum, *weorðmyndum* þāh
(er gedieh herrlich)

hige-mǣðum = ehrerbietig
(Cfr. dazu Heyne-Schücking im Beowulfglossar).

Beow. 2909: healdeð *hige-mǣðum* hēafod-wearde
lēofes ond lāðes.

gehðum/gihðum = sorgenvoll, jammernd

Exod. 533: . . . ēðellēase
þysne gystsele *gihðum* healdað (Grein: „jammernd")

Cri. 90: Hwæt is þēos wundrung, þe gē wāfiað
and gēomrende *gehðum* mǣnað
(Grein: „kummervoll")

Auch gihðum/gehðum scheint mir zuweilen eine Steigerung des Adjektivs auszudrücken. So lässt sich belegen:

gehðum fröd (Grein: „sinnesweise“): El. 531.
gehðum gēomre/gēomor (Grein: „sinnestraurig“):
El. 322; Andr. 1010.
gehðum hrēmig: Seel. 9.
unwearnum = ohne Weigerung, gierig
(cfr. Heyne-Schücking im Beowulfglossar).
Beow. 741: . . . slāt *unwearnum,*
 bāt bānlocan, . . .
Seef. 63: hweteð on wælweg hreðer *unwearnum*
 ofer holma gelagu;

Bemerken möchte ich hierzu, dass das Substantivum
unwearn sich ausser in dem adverbiell verwandten Dat. Instr.
Pl. unwearnum in der altenglischen Poesie nicht nachweisen
lässt. Wir haben hier eine ähnliche Erscheinung wie bei
der schon behandelten Zeitbestimmung ungēara, wo auch das
Substantivum ungēar nur noch in dem völlig adverbiell gebrauchten Gen. Pl. zu belegen war. Ebenso — und nicht
als Adjektivform (Grein) — möchte ich den Dat. Instr. Pl.
unsynnum ansehen; auch hier ist das den Gegensatz zu syn
ausdrückende Substantivum unsyn nur noch in dem völlig
adverbiell empfundenen Dat. Instr. Pl. vorhanden (cfr. Beow.
1072: „schuldlos“).

eafeðum = kräftig, mächtig

Beow. 1717: þeah þe hine mihtig god mægenes wynnum,
 eafeðum stēpte, . . .

duguðum/dugeðum = „mächtig, würdevoll, würdig“,
auch „schicklich, wie es sich schickt“

Dan. 765: „sē ofer dēoflum *dugeðum* wealdeð!“
 (mächtig; Grein: „in Hochkraft“)

El. 450: ne mæg æfre ofer þæt Ebrēa þēod
 rædþeahtende rīce healdan
 duguðum wealdan: (mächtig)

Gen. 1718: . . . forðon hīe wīde nū
 dugeðum dēmað drihta bearn.
 (würdig, schicklich; Grein: „hoch“)

Beow. 3175: eahtedou eorlscipe ond his ellenweorc
    duguðum dēmdon.

(Grein: „gewaltig"; Heyne-Schücking: „nach Kräften")
Öfters dient dugeðum, wie mir scheint, in adverbialer
Bedeutung auch zur Verstärkung eines Adjektivs (wie schon
þrȳðum, wundrum, firenum etc.). So fasse ich auf:
Gen. 1849: . . . Wordum sprǣcon
    ymb þæs wīfes wlite wlonce monige
    dugeðum dealle
    (Die überaus Stolzen; Grein: „Die Kraftstolzen")
Gen. 2419: *duguðum* wlance drihtne guldon
    gōd mid gnyrne
    (Grein: „duguðum wlance" = die „Übermütigen")
Ähnlich auch duguðum dīore in Met. 10^{29}. Die adverbiale Bedeutung „mächtig", „kräftig" liegt bei duguðum ferner
vor in: Gen. 1859, 2306 und Met. 15^8. In allen drei Beispielen handelt es sich um die Verbindung „duguðum stēpan"
= „kräftig" fördern.

ēaðmēdum = 1. humiliter, demütig
Gu. 892: . . . Hwīlum mennisce
    āras *ēaðmēdum* eft nēosedon . . .

        (demütig; Grein „in Demut")
An adverbialen Gebrauch grenzt auch die Verbindung
eallum *ēaðmēdum* = sehr demütig, in aller Demut. Cfr. dazu
El. 1088 und 1101. = 2. frohgemut; fröhlich
Andr. 981: Gewāt him þā sē hālga heofonas sēcan,
    eallra cyninga cyning þone clǣnan hām
    ēaðmēdum ūpp: 3. freundlich
Andr. 321: . . . sēlre byð ǣghwām,
    þæt hē *ēaðmēdum* ellorfūsne
    oncnāwe cūðlīce swā þæt Crist bebēad,
    þēoden þrymfæst!

(Die einzelnen Bedeutungen sind aus Grein's „Sprachschatz" entnommen). Beachtenswert ist, dass ēaðmēdu ausnahmslos pluralisch sich in der altenglischen Poesie nachweisen lässt. Es ist als abstraktes Pluraletantum anzusehen
(cfr. Abschnitt g).

searoponcum/-pancum
$\qquad$ = 1. kunstsinnig, artificiose, klug

Beow. 775: ... ac hē þæs fæste wæs
$\qquad$ innan ond ūtan īrenbendum
$\qquad$ *searoponcum* besmiðod. (Grein: „kunstvoll")

El. 414: sōhton *searopancum*, hwæt sio syn wære,
$\qquad$ þe hīe on þām folce gefremed hæfdon
$\qquad\qquad$ (Grein: „mit Sinnesklugheit")

El. 1190 sowie Rä. 36¹³ grenzen ebenfalls an adverbiellen Gebrauch. $\qquad$ = 2. listig, arglistig

Jul. 298: ... Ēac ic gelærde
$\qquad$ Simon *searoponcum* ... (listig)

Jul. 494: ... þā ic bealdlīce
$\qquad$ þurh mislīc cwealm mīnum hondum
$\qquad$ *searoponcum* slōg. (arglistig)

orpancum/orponcum = geschickt; kunstvoll; klug;
$\qquad\qquad\qquad\qquad\qquad\qquad$ subtiliter

Beow.2087: ... Glōf hangode;
$\qquad$ sīo wæs *orponcum* eall gegyrwed
$\qquad\qquad$ (kunstvoll; Grein „mit Einsicht")

Exod. 359: swā þæt *orpancum* ealde reccað
$\qquad\qquad$ (Grein: „einsichtsvoll")

Rä. 69³: ... is se swēora wōh
$\qquad$ *orponcum* geworht; (Grein: „sinnreich")

cræftum = kräftig, kraftvoll

Andr.1605: Nū is gesȳne, þæt þe sōð meotud
$\qquad$ cyning eallwihta *cræftum* wealdeð
$\qquad\qquad$ (Grein: „kraftvoll")

$\qquad$ Ähnlich in Rä. 32¹⁰.

searocræftum = artificiose, kunstvoll

El. 1026: ... Hēo þā rōde heht
$\qquad$ golde beweorcan and gimcynnum
$\qquad$ besettan *searocræftum* (Grein: „kunstreich")

Met. 8²⁴: ... ne hī *searocræftum*
$\qquad$ gōdweb giredon (kunstvoll; Grein: „mit Kunst")

$\qquad$ Nicht näher ausführen will ich abstrakte Dat. Instr. Pl. wie *mihtum* = mächtig; *yrmðum* = arm, elend; *synnum* =

sündig; *pream* (þreaum) = violenter; *dædum* = tätlich (cfr. dazu P. B. B. XII, S. 106); *wæstmum* = in Gestalt von, an Gestalt, und andere mehr. Die einzelnen Belegstellen sind aus Grein's „Sprachschatz" leicht zusammenzustellen. Auch den Dat. Instr. Pl. *wordum* möchte ich hier mit einrechnen. Er tritt meistens auf in festen Formeln in Verbindung mit einem Verb des Sprechens und bezeichnet hier das Nachdrückliche einer Rede, erinnert also wieder an intensiven Gebrauch (z. B. wordum maðelian = nachdrücklich etwas sagen). — Im Dat. Instr. Sg. habe ich adverbiellen Gebrauch bei Abstrakten viel seltener belegen können. Öfteres begegnet sind mir nur:

nyde/niede = notwendigerweise, notgedrungen
Cfr. Gen. 696, 1976; Exod. 116; Beow. 1005, 2215 und öfter.

elne = kräftig, überaus, durchaus, völlig
Beow. 893, 1097, 1129, 1967, 2676, 2917; Az. 91; Fä. 8, 30; Gu. 129, 1081 und öfter.

māne = frevlerisch; (cfr. Heyne-Schücking im Beowulfglossar). Beow. 1055.

weorce = mühsam, graviter; Beow. 1418.

unsnyttro = unklug; El. 1285.

fācne = frevelhaft; Beow. 2009, 2217 und öfter.

giohðo/geohðo/gehðu = kummervoll; stets in Verbindung mit dem Verb mænan: Beow. 2267; Jul. 391; Andr. 1550, 1667.

Auch *cræfte* ist mehrere Male adverbiell nachweisbar = „kräftig, mächtig." — Einige wenige andere übergehe ich hier.

β) Der Dat. Pl. eines Abstraktums in Verbindung mit einer Präposition in adverbiellem Sinne

Die Parallelen zum Althochdeutschen, speziell zu Otfrid, sind zum grossen Teil schon in der Einleitung zu diesem Kapitel erwähnt worden. Weitere Beispiele sind einzusehen in Grimm's Gram. Bd. III, S. 136/137. Von altenglischen Beispielen führe ich hier an:

on gesyntum = gesund, in Gesundheit

Beow. 1869: hēt hine mid þǣm lācum lēode swǣse
secean *on gesyntum,* . . .

Ps. 114⁵: . . . ālȳs mīne nū
sāwle *on gesyntum!*

on ēstum = freudig, gnädig ·

Luc. 7²⁵: þā þe synt *on ēstum* (Grein: in deliciis)

on sǣlum/sālum = fröhlich, freudig

Beow. 607: þā wæs *on sālum* sinces brytta,

Beow. 643: þā wæs eft swā ǣr inne on healle
þrȳðword sprecen, þēod *on sǣlum,*

Beow. 1170: . . . þū *on sǣlum* wes,
goldwine gumena

Sal. 177: hwæðre wæs *on sǣlum,* sē þe of sīðe cwōm
feorran gefēred;

Met. 2²: Hwæt ic līoða fela lustlīce gēo
sang *on sǣlum!*

Met. 2⁷: þonne ic *on sǣlum* wæs

Exod. 106: folc wæs *on sālum;*

Exod. 564: After þām wordum weorod wæs *on sālum*

El. 194: þā wæs *on sālum* sinces brytta,
nīðheard cyning;

mid ārum = ehrenvoll, auf ehrenvolle Weise

El. 714: and hine *mid ārum* ūp gelæddon
of carcerne

Gū. 421: þætte Gūðlāce god lēanode
ellen *mid ārum,* . . .

mid willum = freudig, fröhlich

Ori. 916: tō scēawianne þone scȳnan wlite
wēðne *mid willum,* . . .

Phön 149: . . . Swā gedēmed is
bearwes bīgenga, þæt hē þǣr brūcan mōt
wonges *mid willum* and welan nēotan

on lustum = fröhlich, freudig, in/mit Lust

Gen. 473: . . . ac mōste symle wesan
lungre *on lustum* and his līf āgan

Jud. 162: . . . Here wæs *on lustum;*

mid listum = listig; mit List; mit Klugheit

Gen. 588: Lædde hīe swā mid ligenum and *mid listum* spēon
idese on þæt unriht, . . . (Grein: „listvoll")

Gen. 687: . . . Stōd sē wrāða boda,
lēgde him lustas on and *mid listum* spēon
(Grein: „listvoll")

Sat. 300: dēman wē on eorðan ǣrror lifigendon,
onlūcan *mid listum* locen waldendes,
ongēotan gāstlīce! (Grein: „klüglich")

for æfestum/æfstum = eifersüchtig, aus Eifersucht

Gen. 982: . . . hygewælmas tēah
beorne on brēostum blātende nīð,
yrre *for æfstum*; (Grein: „aus Abgunst")

El. 496: þæt hīe *for æfstum* unscyldigne
feore berǣddon. (Grein: „aus Eifersucht")

Andr. 610: . . . mē þæt þynceð,
þæt hīe *for æfstum* inwit syredon
(Grein: „aus Eifersucht")

Gū. 684: geseah, þæt gē on eorðan *fore æfstum*
on his wergengan wīte legdon.
(Grein: „aus Eifersucht")

Mōd. 37: . . . feohð his betran
eorl *fore æfstum* (Grein: „aus Missgunst")

mid/for ārstafum = ehrenvoll, huldvoll
(cfr. Heyne-Schücking im Beowulfglossar: „aus Huld").

Beow. 317: . . . Fæder alwalda
mid ārstafum ēowic gehealde
sīða gesunde!

Beow. 382: . . . Hine hālig god
for ārstafum ūs onsende.

Beow. 458: Fore slyhtum þū, wine mīn Bēowulf,
ond *for ārstafum* ūsic sōhtest.

on/mid snytrum = sapienter

Andr. 1155: . . . Gode ealles þanc,
dryhtna dryhtne, þæs þe hē dōm gifeð
gumena gehwylcum, þāra þe gēoce tō him
sēceð *mid snytrum!* (Grein: mit Einsicht)

Ps. 89¹⁴: Dō ūs þā þīne swīðran hand, drihten, cūðe
          þām þe *on snytrum* syn swȳðe getȳde
          and þā heora heortan healdað clǣne!

Dass diese Plurale nicht als Mehrheitsbezeichnungen
empfunden wurden, beweist die Tatsache, dass man zu ihnen
auch nähere Bestimmungen hinzusetzt, wie z. B.:

Beow. 1706: . . . Eal þū hit geþyldum healdest
          mægen *mid mōdes snyttrum.*

for unsnyttrum = unweislich, aus Mangel an Weisheit

Met. 9¹¹: . . . hē *for unsnyttrum*
          wolde fandian, gif . . . (Grein: „aus Unverstand")

Eine nähere Bestimmung tritt hinzu in:

Beow. 1734: . . . þæt hē his selfa ne mæg
          for his unsnyttrum ende geþencean;

for andrysnum = wie es sich schickt; schicklich

Beow. 1796: sē *for andrysnum* ealle beweotede
          þegnas þearfe . . . (Grein: „aus Ehrfurcht";
          Heyne-Schücking: „der Etikette gemäss")

for wonhygdum/-wonhȳdum = arglos; verwegen

Gen. 1673: oðþæt for wlence and *for wonhygdum*
          cȳðdon cræft heora
          (Grein: „aus Unsinn und aus Übermut")

Nähere Bestimmung tritt hinzu in:

Beow. 434: . . . þæt sē æglǣca
          for his wonhȳdum wǣpna ne recceð:
          (Grein: „in seiner Verwegenheit")

in þēawum = geziemend, gut

Gū. 473:   þē gemete monige geond middangeard
          þēowiað *in þēawum* (geziemend)

Gū. 369:   . . . þǣr sē hyra gǣst
          þīhð *in þēawum*: (gut)

on wlencum = stolz

Met. 10²⁸: þēah hwā æðele sīe eorlgebyrdum
          welum geweorðad and *on wlencum* þīo
          duguðum dīore.

(Cfr. dazu auch Kap. IX e).

Eine ähnliche Stelle, jedoch mit näherer Bestimmung (on mīnum wlencum) cfr. in Ps. Th. 29⁶.

on/mid/for ēaðmēdum = 1. fröhlich, freudig

Gū. 299: Hē wæs on elne and *on ēaðmēdum*

Jud. 170: . . . and þā ofostlīce
hī *mid ēaðmēdum* in forlēton

2. demütig, humiliter

Gū. 451: ne cunnon gē dryhten duguðe biddan
ne *mid ēaðmēdum* āre sēcan! (Grein: „in Demut")

Ps. 130³: Ac ic *mid ēaðmēdum* eall geþafige:

Dan. 295: nū wē þec for þrēaum and for þēo-nȳdum
and *for ēaðmēdum* ārna biddað
(Grein: „in aller Demut")

Az. 15: nū wē þec for þearfum and for þrēanȳdum
and *for ēaðmēdum* ārena biddað (demütig)

Nähere Bestimmung findet sich in Ps. 118⁵⁰: on mīnum eaðmēdum (Grein: in humilitate mea).

on/in/tō gemyndum = zum Gedächtnis, im Gedächtnis, zur Erinnerung, in der Erinnerung

Beow.2804: þæt scel *tō gemyndum* . . .
hēah hlīfian on Hronesnæsse,
(Grein: „zum Gedächtnis")

Beow.3016: . . . nalles eorl wegan
maððum *tō gemyndum* (Grein: „zur Erinnerung")

Gū. 139: . . . Him wæs godes egesa
māra *in gemyndum*, þonne . . .
(Grein: „im Gedächtnis")

Gū. 186: Stōd sēo dȳgle stōw dryhtne *in gemyndum*
(Grein: „im Gedächtnis")

Jul. 36: . . . hire wæs godes egesa
māra *in gemyndum*, þonne... (Grein: „im Gemüte")

An. 962: læt þē *on gemyndum*, hū þæt manegum wearð
fīra gefræge geond feala landa;
(Grein: „Lass dir im Gedächtnis bleiben")

Ebenso cfr. on gemyndum in Bo. 30 und Met. 7[50].

on wœstmum = in Gestalt von, an Gestalt

In Verbindung mit einer näheren Bestimmung z. B. belegbar in:

Beow. 1352: . . . ōðer earmsceapen

on weres *wœstmum* wrǣclāstas træd;

(in Mannesgestalt)

Nicht näher bestimmt ist on wæstmum (= an Gestalt) in: Luc. 19[3]: lȳtel *on wœstmum*, ähnlich in Crä. 35.

on drēamum = in Jubel, fröhlich

Hy. 8[18]: þū, dryhten god, *on drēamum* wunast (fröhlich)

mid gewealdum = freiwillig, sponte

Beow. 2222: Nealles *mid gewealdum* wyrmhord ābrǣc

sylfes willum, . . .

(cfr. Heyne-Schücking im Beowulfglossar).

on/in/under gewealdum = in Gewalt, unter der Gewalt

Gū. 666: Hæfde Gūðlāces gǣst *in gewealdum*

mōdig mundbora meahtum spēdig;

Ähnlich cfr. Gū. 568.

Hy. 8[18]: þe þū, god dryhten, gāstes miehtum

hafest *on gewealdum* hiofon and eorðan;

Ähnlich, nur mit näherer Bestimmung, in:

El. 610: hē wæs *on þǣre cwēne gewealdum.*

under gewealdum findet sich mit näherer Bestimmung in Gū. 386 und Cri. 705.

for hygeþrymmum = edelmütig, in hochsinniger Weise

Beow. 339: Wēn ic, þæt gē for wlenco, nalles for wrǣcsīðum

ac *for higeþrymmum* Hrōðgār sōhton.

An adverbiellen Gebrauch grenzen auch folgende Beispiele:

on/mid sorgum = sorgenvoll; cfr. Hö. 81; Sal. 368.

mid firenum = frevelhaft; cfr. Cri. 1441.

for lufum = aus Liebe, um willen, und einige mehr.

Der Dat. Sg. eines Abstraktums in Verbindung mit einer Präposition ist mir in adverbieller Bedeutung begegnet in folgenden Beispielen:

mid āre = ehrenvoll; Beow. 2378.

tō āre = zu Ehren; Az. 54, 159; Hy. 3²⁸; Met. 20¹⁰⁰;
Cri. 1084; Andr. 76; Gū. 738.

mid cræfte = kräftig; Beow. 1219.

on elne = heldenkräftig, tapfer; Beow. 2506, 2816
und öfter.

mid elne = tapfer; Beow. 1493, 2535 und öfter.

on ofoste/ofeste = eilig; Beow. 386, 1292, 2747, 2783,
3090 u. a. m.

on giohðe = kummervoll, sorgenvoll; Beow. 2793, 3095
und öfter.

mid māne = frevlerisch; Gen. 299; Sal. 325 u. s. w.

Einige andere übergehe ich hier.

b) Pluralgebrauch von Abstrakten, denen die Vorstellung wiederholter Betätigung zu Grunde liegt

Ein grosser Teil der unter a) behandelten adverbiell
gebrauchten Abstrakta im Dat. bezw. Dat. Instr. Pl. erklärt
sich — wie das schon in der Einleitung zu diesem Kapitel
bemerkt wurde — aus kollektiv-unindividueller (intensiver) Anschauungsweise. Hierher rechne ich z. B. ofstum
(miclum), lustum (miclum), mid lustum, unlustum, spēdum
(miclum), estum, ārum, æfstum und andere mehr. Dieser in-
tensive (kollektiv-unindividuelle) Pluralgebrauch lässt sich
auch sonst öfter bei abstrakten Begriffen (in nicht adverbiellem Sinne) nachweisen. So finde ich — um ein Beispiel
herauszugreifen — parallel dem althochdeutschen, bei Otfrid
3, 1, ₁₉ belegbaren kollektiv-unindividuellen Plural «von dēn
stankon» (cfr. schon Einl.) auch ae. stenc (= Geruch) mehrere
Male pluralisch gebraucht, besonders im Dat. Instr. Pl. (cfr.
Phön. 8, 206, 586; Gū. 1292). Weitere Parallelen zu den
auf S. 118 angeführten althochdeutschen Beispielen eines
intensiven Pluralgebrauches bei Abstrakten lassen sich im
Altenglischen mit Hülfe von Grein's „Sprachschatz" zusammenstellen.

Andererseits ist aber bei einer nicht geringen Anzahl
von pluralisch gebrauchten Abstrakten der Pluralgebrauch

aus individueller (iterativer) Anschauungsweise zu erklären. Schon bei den adverbiell-pluralisch gebrauchten abstrakten Begriffen kommen eine ganze Reihe von Beispielen
hier in Frage, und auch sonst, bei nicht adverbiellem Gebrauche, ist diese Erklärungsweise für viele pluralisch verwandte Abstrakta zutreffend.

Es ist dies der Pluralgebrauch, den Wilmanns als aus
der Vorstellung einer wiederholten Betätigung entsprungen
bezeichnet. Alle Arten von Abstrakten kommen hier in
Frage: Handlungs-, Zustands- und Eigenschaftsabstrakta. —
Ein Hinüberschwanken aus der abstrakten in konkrete Bedeutung lässt sich bei den anzuführenden Beispielen öfters
beobachten. — Die Parallelen zum Althochdeutschen sind
schon auf S. 120/121 in den aus Wilmanns Grammatik entnom-
menen Beispielen angeführt worden. An Literatur zu diesem
Pluralgebrauche ist ausser den auf S. 120 genannten
Werken noch zu vergleichen: Fr. Klaeber: „Studies in the
Textual Interpretation of Beowulf" in Modern Philology,
Volume Three (1905/06), S. 30/31 (bezw. S. 264/265).

An Beispielen für den aus der Vorstellung wiederholter
Betätigung entsprungenen (iterativen) Pluralgebrauch von Abstrakten seien angeführt für das Altenglische:

mærð/mærðu

= «Ruhm, Verherrlichung, Herrlichkeit». Der «Zustand des
Berühmtseins, des Ruhmes» wird sehr häufig als wiederholter oder in sich mehrheitlicher Akt gedacht. Der Pluralgebrauch ist daher bei diesem Worte nichts Seltenes. Er
lässt sich nachweisen als: Gen. Pl. in: Gen. 1677, Phön.
472, Beow. 504, Sal. 67; als Dat. Pl. in: Crä. 60; als Dat.
Instr. Pl. in: El. 15, Met. 20². — Die Vorstellung einer
wiederholten Betätigung bewirkt dann bei mærð(u) eine Verschiebung der Bedeutung «Ruhm» zu «ruhmreiche, glänzende
Tat». In dieser Bedeutung überwiegt der plurale Gebrauch
die singulare Verwendung ganz beträchtlich: Während die
Einzahl sich nur drei mal nachweisen lässt, ist die Mehrzahl
dreizehn mal belegbar. Ein grosser Teil der Belegstellen
entfallen auf den Beowulf. Ich habe nachweisen können:

Gen. Pl. in: Seef. 84, Beow. 484, 1530 (mærða gemyndig: Grein: auf Ruhmtaten bedacht), 2640, 2645, Met. 20²⁶, Edg. 41, Sal. 208; Acc. Pl. in: Rä. 72¹¹, Beow. 2996; Dat. Inst. Pl. in: Beow. 2514, Cri. 748, El. 871. — Auch das Kompositum *ellen-mærðu* ist hier zu erwähnen. Es lässt sich zweimal in der angelsächsischen Poesie belegen und zwar als Gen. Pl. in Beow. 1471 und als Dat. Instr. Pl. in Beow. 828; die erstere Stelle: Beow. 1471 kann auch Dat. Pl. sein. Die Bedeutung ist hier = «rühmliche Heldentat». Sehr deutlich zeigt die Vorstellung wiederholter Betätigung das Beispiel:

Beow. 1471: . . . þær hē dōme forlēas,
 ellenmærðum.

(Hier ging er des Ruhmes verlustig, den er sich durch (viele) Heldentaten erworben hatte).

Ein sehr gutes Beispiel bietet ferner:

 nīð

= «Feindschaft» (eigtl. nur = Eifer, Streben). Der Zustand der Feindschaft, als wiederholter Akt gedacht, zeigt sehr häufig pluralische Verwendung in der Bedeutung «feindliche Taten». — Alle Beispiele aus der altenglischen Poesie kann ich hier nicht aufzählen. Im Beowulf finde ich den Plural als Gen. in: 845, 882, 1439, 1962, 2170, 2206, 2350, 2397. Auch Komposita wie *fær-nīð* (Gen. Pl.: Beow. 476), *hete-nīð* (Acc. Pl.: Beow. 152), *inwit-nīð* (Nom. Pl.: Beow. 1858; Gen. Pl.: Beow. 1947), *searo-nīð* (Acc. Pl.: Beow. 1200, 2738, 3067; Gen. Pl.: Beow. 582), *wæl-nīð* (Nom. Pl.: Beow. 2065) lassen sich infolge der Vorstellung wiederholter Betätigung im Beowulf öfter pluralisch nachweisen. Aus der übrigen angelsächsischen Poesie lassen sich diese Beispiele noch häufen.

 cræft

= «Kraft, Macht, Fähigkeit, Geschicklichkeit, List». Die Vorstellung einer wiederholten Betätigung der Kraft bedingt Pluralgebrauch im Sinne von „Taten der Kraft, kraftvolle Taten (meist = Heldentaten)“. Einige Belege seien hier genannt. — So ist zu vergleichen der Gen. Pl.: Andr. 700

(Grein: „Kunstwerke"; kunstvolle Taten); Dat. Pl.: Met.
15[11]; Dat. Instr. Pl: Beow. 2088 (Grein: „durch Teufels-
künste"), Andr. 1605, Jul. 480 (Grein: „durch meine Ränke"),
Gen. 2127, El. 1018, 1059. Auch Rä. 32[10] und 36[9] sind zu
nennen. — Von Kompositis nenne ich:

bealu-cræft (Dat. Instr. Pl.: Met. 26[75]; Grein: „durch
Hexenkünste"); drȳcræft (= ars magica; Dat. Instr. Pl.:
Andr. 766, Met. 26[98, 102]; Acc. Pl.: Met. 26[54]); gealdor-cræft
(ars magica; Dat. Pl.: Andr. 166); leoðo-cræft (Acc. Pl.: Crä.
29; Dat. Instr. Pl.: Beow. 2769); morðor-cræft (Dat. Instr.
Pl.: Andr. 177); nearo-cræft (Dat. Instr. Pl.: Beow. 2243);
searo-cræft (1. ars, artificium: Dat. Instr. Pl.: El. 1026, Met.
8[24]; 2. ars dolosa vel insidiosa: Dat. Instr. Pl.: Gu. 113,
540, 646) und andere Komposita mehr (cfr. Grein im
„Sprachsatz").

Weiter ist zu nennen:

eafoð/eofoð

Die Bedeutung dieses Wortes ist = «vis». Der Plural
lässt sich bei eafoð/eofoð im Sinne wiederholter Betätigung
öfter nachweisen. So findet sich der Gen. Pl.: Jul. 601; der
Dat. Pl.: Andr. 142; der Dat. Instr. Pl: Beow. 1717; der
Acc. Pl.: Beow. 2534 (= mühevolle, schwere Taten). Die
Bedeutung ist in allen diesen Beispielen = «mächtige Taten».

Dem althochdeutschen mehti entsprechend ist auch das
altenglische

miht

= «Macht» überaus häufig pluralisch nachweisbar infolge der
Vorstellung einer wiederholten Betätigung (= Taten der Macht;
machtvolle Taten). Ich gebe hier nur eine Auswahl von
Beispielen. Vergleiche: Nom. Pl.: Hy. 9[49], Ps. 102[19]; Gen.
Pl.: Ps. 52[8], Hy. 3[33]; sehr häufig ist der Plural zu finden
in der Formel mihta spēd = „die Fülle (Menge) von kraftvollen Taten"; cfr.: Cri. 296, 488, 652, 1384, 1402, Met. 4[9],
Dan. 335, Gen. 1696, El. 366. Auch die Formel mihta
wealdend = «der Herr der kraftvollen Taten» ist nicht

selten, cfr. Cri. 823, Jul. 723, Ps. C. 31, Dan. 448, 452, El.
337, 1043, Ps. 64³ und öfter; Dat. Pl.: Ps. 88⁸ und öfter;
Acc. Pl.: Phön. 617, Seef. 108, Dan. 473, Sat. 472, Andr.
694, El. 584 etc. (Ps. 76¹², 144¹¹); Dat. Instr. Pl.: Besonders feste Verbindungen wie mihtum swīð/spēdig «reich,
stark an (durch) Taten der Kraft» kommen hier in Frage,
cfr.: Az. 5, Cri. 716, Crä. 4, Phön. 10, Gū. 667, Hy. 4⁶³,
Ps. 103¹, Andr. 1209, 1515 und öfter. Weitere Beispiele
sind aus Grein's „Sprachschatz" (S. 236 bis 237 im
2. Bde.) zu entnehmen; sie lassen sich noch in Menge
erbringen. — Auch das Kompositum *hēah-miht* ist mit dem
Dat. Pl. in Ps. 150² hier einzureihen. — Auch

gryre

= «Schrecken, Grausen» wird pluralisch gebraucht im Sinne
von «grausige, schreckliche Taten». Zu vergleichen ist:
Gen. Pl.: Beow. 591; Dat. Pl.: Beow. 483.

Auch das Kompositum *fær-gryre* (= Grausen, der durch
plötzliche Überfälle verursacht wird) wird als Dat. Pl. im
Sinne wiederholter Betätigung gebraucht in

Beow. 174: hwæt swīðferhðum sēlest wære
wið *færgryrum* tō gefremmane.

(Gemeint sind die häufigen Überfälle Grendels).

Ein gutes Beispiel liefert ferner das in der angelsächsischen Poesie nur als Kompositum auftretende

wæsma

= «die Kraft». *here-wæsma* lässt sich in Beow. 677 im
Dat. Pl. nachweisen in der Bedeutung «Kampfestaten =
Taten, in denen sich die here-wæsma (= die wilde Kampf-
kraft) offenbart»:

Nō ic mē an herewæsmum hnāgran talige
gūðgeweorca þonne Grendel hine
(von Bēowulf gesagt)

Als weiteres Beispiel sei erwähnt:

tīr

= «Ehre, Ruhm, Zier». Der Plural in der Bedeutung «ruhm-
volle Taten» ist hier belegbar in:

Dan. 312: þū tīrum fæst (= durch ruhmreiche Taten . . .
Grein: „tatenruhmfest").
Neben diesem Dat. Instr. Pl. ist der Dat. Pl. in der
gleichen Bedeutung nachweisbar in Reim. 42.

Unserem nhd. «Torheiten» im Sinne von «törichten
Taten und Handlungen» entsprechend, wird

gēað|gēuhð

= «stultitia, lascivia» ebenfalls pluralisch gebraucht im Sinne
einer wiederholten Betätigung.

Zu vergleichen ist der Nom. Pl. in:

Seel. 74: sindon þīne gëahðe āwiht
(sagt die Seele zum Körper).

Auch das Abstraktum

lufu|lufe

findet sich mehrfach pluralisch gebraucht im Sinne von
«liebevollen Taten, Liebesbezeugungen» etc. (Cfr. ne. noch
eine ähnliche Erscheinung in favours = „Gunstbezeugungen",
honours = „Ehrenbezeugungen", respects = „Achtungsbezeu-
gungen" u. a. mehr. Vgl. dazu: Ed. Mätzner: „Englische
Grammatik" I. Teil, S. 249).

Zu vergleichen ist der Gen. Pl. in: Hy. 4[115] und Gū.
1049; der Dat. Instr. Pl. in: Gen. 1949, 2737. — In den
letzten drei Belegen findet sich lufu/lufe stets in Verbindung
mit liss «Freude, Wonne, Gnade»: lufena and lissa (Gū. 1049)
und lufum and lissum (Gen. 1949, 2737): Reimformeln! Aus
diesen Beispielen ersieht man, dass auch *liss* als Abstraktum
pluralisch gebraucht wird im Sinne wiederholter Betätigung
(Grein weist ausser den genannten Stellen in seinem „Sprachschatz" noch 25 Belege für pluralische Verwendung von liss
nach, cfr. S. 190/191 im 2. Bde.; ausserdem ist hier noch
besonders Klaeber mit dem genannten Aufsatze zu vergleichen, der den Plural von liss und hröðor als „acts of
kindness" bezeichnet). Mehr oder weniger zeigt sich bei
diesen Fällen ein Hinüberschwanken aus der abstrakten in
die konkrete Bedeutung. Aus dem Abstraktum „Liebe"
werden konkrete „Liebesbezeigungen" etc. Ähnliches gilt
auch für das im Beow. pluralisch gebrauchte Abstraktum

willa

= «Wille, Wunsch, Verlangen», das sich als Gen. Pl.
wilna in der durchaus konkreten Bedeutung «wünschenswerte
Sachen, Kostbarkeiten» nachweisen lässt in Beow. 660, 950.
— Dass auch die Komposita dieser genannten Abstrakta
dieselbe Erscheinung aufweisen, beweist das in Beow. 2065
pluralisch nachweisbare *wif-lufu* (= Liebe, Liebesbezeugungen
zur Gattin).

Als weiteres Beispiel erwähne ich:

duguð

das in der Bedeutung «Herrlichkeit, Macht», sowie in der
Bedeutung «Schicklichkeit» sich mehrmals pluralisch nachweisen lässt im Sinne einer wiederholten Betätigung. Mehrere
Fälle sind schon unter dem adverbiellen Gebrauche erwähnt
worden. Zu vergleichen ist der Plural in der Bedeutung
«herrliche, machtvolle Taten» als Instr. Pl. in: Dan. 765
und El. 450 sowie in Gen. 17; als Acc. Pl. in: Sch. 48.
Die Bedeutung „Schicklichkeit, schickliche Taten und Handlungen" ist nachweisbar als Dat. Pl. in: Gen. 2282 und als
Dat. Instr. Pl. in: Gen. 1718 und Beow. 3175.

Am häufigsten pluralisch nachweisbar ist duguð in der
Bedeutung «salus, prosperitas, lucrum, commodum». Die
einzelnen Belege sind aus Grein's „Sprachschatz" Bd. II,
S. 211/12 zu entnehmen. — Den Übergang der abstrakten in
die konkrete Bedeutung kann man auch bei duguð sehr oft
konstatieren. — Ferner gehört hierher:

cyst

Es lässt sich in der Bedeutung «virtus, praestantia» mehre
Male pluralisch nachweisen im Sinne einer wiederholten Betätigung. Als Beispiele erwähne ich: Dat. Instr. Pl.: Beow.
923 (treffliche Taten), Edw. 23, Ps. 104[24], Fäd. 2; Dat. Pl.:
Crä. 106, Cri. 1224, Ps. 64[4]. Auch die Komposita von cyst
zeigen mehrfach Pluralgebrauch infolge der Vorstellung einer
wiederholten Betätigung. So ist zu vergleichen: *uncyst* (Acc.
Pl.: Ps. Th. 18[11] = delicta); *hilde-cyst* (Dat. Instr. Pl.:
Beow. 2598); *gum-cyst* (Dat. Instr. Pl.: Beow. 1486, 2543
und öfter; Acc. Pl.: Beow. 1723; Dat. Pl.: Andr. 1608).

(NB.: Die beiden Beispiele des Dat. Instr. Pl. gum-cystum in Beow. 1486 und 2543 bezeichnen Heyne-Schücking auch als adverbiell gebraucht im Sinne von «vorzüglich, aus-gezeichnet». Beide Belege lassen sich also auch in Kap. IX a einordnen).

Hier einschlägig ist auch

oferhygd/oferhȳd

= «superbia, arrogantia». Hier ist der Plural in der Be-deutung «übermütige Taten, Handlungen» sehr häufig nach-weisbar. Zu belegen sind:

Gen. Pl. in: Mōd. 43, Beow. 1740, 1760; Acc. Pl. in: Gū. 240, Mōd. 23, 53, Sat. 370; Dat. Pl. in: Dan. 298, Jul. 424, Sat. 50, 69, 197, 228, Gū. 606, 633; Dat. Instr. Pl.: Andr. 319, 1320.

milds/milts

= «benignitas, misericordia, favor, laetitia» ist hier mit seinem häufigen Pluralgebrauch ebenfalls einzureihen. Die einzelnen Belegstellen sind aus Grein's „Sprachschatz" Bd. II, S. 251 leicht zu ersehen.

Ebenso erklärt sich der Pluralgebrauch aus der Vor-stellung einer wiederholten Betätigung bei abstrakten Be-griffen wie *trēow/trȳw* «Treue, Festigkeit, Huld, Glaube, Vertrauen» und *untrēow/untrēowð* = «Untreue»; die ein-zelnen Beispiele gibt Grein im „Sprachschatz" Bd. II, S. 552 und 628.

Ferner zeigen folgende Abstrakta häufiges Vorkommen im Plural im Sinne einer wiederholten Betätigung:

lust

wird im Plural öfters gebraucht im Sinne von «(sündhafte) Taten der Lust». Einige Beispiele mögen hier genügen. Cfr.: Nom. Pl.: Gū. 84; Acc. Pl.: Cri. 757, Gū. 687.

Auch mehrere der unter dem adverbiellen Gebrauch (IX a) angeführten Beispiele von lust gehören hierher.

Desgl. zeigt das Kompositum *firenlust* mehrmals plura-lische Verwendung in der Bedeutung «frevelhafte Taten der Lust», cfr. Acc. Pl.: Cri. 1483, Gū. 775, Seel. 34, 44; Gen. Pl.: Met. 8[15].

list

lässt sich im Plural sehr häufig belegen im Sinne von «listige Taten, Handlungen». An Beispielen führe ich an: Acc. Pl.: Gen. 517; Dat. Instr. Pl.: Beow. 781 und öfter.

Von den unter IXa genannten Beispielen dürften sich auch mehrere hier einreihen lassen.

þrym

in der Bedeutung «potentia, vis, robur, virtus» kommt mehrere Male im Plural vor im Sinne einer wiederholten Betätigung. So ist zu vergleichen:

Nom. Pl.: Gn. C. 4, ähnlich auch Gen. 80; Gen. Pl.: El. 519; Dat. Instr. Pl.: Gen. 8, Beow. 235 (letzteres Beispiel wurde schon in IXa genannt). Häufig pluralisch gebraucht ist ferner:

yrmðu/ermðu

= «miseria». Der Zustand der Armut und des Elendes wird von dem Angelsachsen sehr oft als nicht einheitlicher, als ein sich wiederholender und aus einzelnen Vorgängen zusammensetzender Akt gedacht. Die plurale Verwendung lässt sich hier fast ebenso häufig wie die singulare nachweisen. Es lässt sich belegen:

Gen. Pl.: Seel. 102, Kl. 3, Cri. 1269, Audr. 972, Gu. 905, Ps. 68^{21}; Dat. Pl.: Cri. 1676, 1684, Andr. 163, Ps. 139^{10}, El. 768; Dat. Instr. Pl.: Exod. 265, Jul. 634, Cri. 621; auch der Acc. Pl. ist öfter nachweisbar.

Weiter sind von Abstrakten, deren Pluralgebrauch sich aus der Vorstellung einer wiederholten Betätigung oder aus der Nichteinheitlichkeit eines Zustandes erklärt, zu nennen:

bisigu/bysgu

«labor, tribulatio»; oft pluralisch gebraucht im Sinne von «schwere, mühevolle Taten, Beschwerden». — Gen. Pl.: Jul. 625; Dat. Pl.: Met. 20^{255}, Gu. 1083; Dat. Instr. Pl.: Beow. 1743, 2580, Met. 22^{64}. — Vergleiche auch das Kompositum *nýd-bysgu* im Dat. Pl. in Reim 44.

þearf

«Not, Bedrängnis»; als Dat. Pl. belegbar in: Cri. 112, Az. 14.

nīed/nȳd/nēd/nēad

«necessitas». Zu belegen sind:

Nom. Pl.: Ps. 77⁴⁷; Acc. Pl.: Ps. 90⁵; Gen. Pl.: Reim. 78; Dat. Pl.: Gū. 212, Andr. 1379.

Zu vergleichen sind auch die Komposita: *nearo-nēd* (Dat. Pl.: Andr. 102); *þeow-nēd/-nȳd* (Dat. Pl. in Dan. 294); *þrēa-nȳd/-nīed/-nēd* (Dat. Instr. Pl.: Andr. 1266, El. 884, Az. 14, Beow. 832, Pa. 61). Das bedeutungsgleiche *þrēa-nīedla* ist ebenfalls pluralisch nachweisbar im Dat. Instr. in Gū. 668.

nēod/niod

«studium, desiderium, cupido»; pluralisch nachweisbar: als Gen. Pl. in Cri. 261, Seel. Ex. 48; als Acc. Pl. in: Beow. 2116, Gen. 854. — Cfr. auch das Kompositum *hæfte-nēod* als Dat. Instr. Pl. in Ps. 140⁹.

nearu

«Not, Enge, Bedrängnis»; Dat. Pl. in Wald. 2⁸; Acc. Pl. in Rä. 54¹³. Auch sind zu vergleichen Zusammensetzungen wie:

nearu-bregd (dolus artus; Dat. Instr. Pl.: Jul. 302);

nearu-cræft (ars arta; Dat. Instr. Pl.: Beow. 2243);

nearu-nēd (necessitas, angustia, captivitas; Dat. Pl.: Andr. 102); *nearu-nes* (Bedrängnis; Dat. Pl.: Ps. Th. 4¹); *nearu-searu* (fraus angusta (occulta); Acc. Pl.: El. 1109); *nearu-wrence* (dolus artus; astutia; Dat. Instr. Pl.: Mōd. 44).

þrēa

«calamitas, afflictio, malum»; vergleiche:

Nom. Pl.: Gū. 519; Dat. Pl.: Dan. 294, Sch. 41; Dat. Instr. Pl.: Jul. 520, Gū. 402, 1171, El. 1277, Cri. 1134, 1446.

Cfr. auch das Kompositum *þeod-þrēa* im Dat. Pl. in Beow. 178.

Auch *bealu* liesse sich hier einordnen, das im Plural mehrmals nachweisbar ist in der Bedeutung «üble Taten» sowohl als Simplex wie in den zahlreichen Kompositis (cfr. Grein: „Sprachschatz" Bd. I, S. 101/102).

Auch Begriffe wie *wyn/syn* sind im Sinne einer wiederholten Betätigung häufig pluralisch nachweisbar, desgleichen das im Beowulf öfters pluralisch auftretende *sið* in der Bedeutung „Unternehmen, Werk" (cfr. Nom. Pl.: Beow. 1986; Acc. Pl.: Beow. 877; Gen. Pl.: Beow. 318).

c) Pluralgebrauch bei Abstrakten in festen Redensarten und Formeln

Cfr. zu diesem Abschnitt auch F. Klaeber a. a. O. sowie E. Sievers in seiner Heliandausgabe, Halle 1878. — Das formelhafte Gut, das sich in der angelsächsischen Poesie nachweisen lässt, ist sehr gross. Auch bei abstrakten Begriffen ist es zu finden, und viele der unter Kap. IX a/b genannten Beispiele sind als erstarrte Formeln und Redewendungen anzusehen. Besonders beschränkte Abstrakta, wie «Tat, Werk, Wort» lassen sich in formelhaftem Gebrauche nachweisen. Zu beachten ist, dass fast ausschliesslich der Dat. bezw. Dat. Instr. Pl. hier in Frage kommt. — Diese Formeln bestehen entweder aus einer Verbindung von Substantiv + Verb, oder Substantiv + Adjektiv, oder Substantiv + Substantiv.

α) Verbindung von abstraktem Substantiv + Verb

Folgende Beispiele sind zu vergleichen:

ārum healdan: Beow. 296, 1099, 1182.

drēamum bedǣlan (der Freude berauben): Beow. 721; Sat. 68, 344; Cri. 1409; Gū. 873; (meist als Part. Perf.: drēamum bedǣled).

aldrum neðan (von mehreren Personen gesagt): Beow. 510, 538 (mit Lebensgefahr . . .).

pēawum libban: Beow. 2144; Wī. 11. (cfr. schon IX a).

dugeðum wealdan: Dan. 765; El. 450.

dugeðum bedǣlan: Sat. 122; Cri. 563.

ēstum ge-ēawan|-ȳwan: Beow. 1194, 2149.

wundrum getēon: Beow. 1452; Dan. 111.

Formelhaft erscheinen mir auch Fälle wie:

āðum benemnan (Beow. 1097).

eafeðum stēpan (Beow. 1717).

drēamum libban (Beow. 99) u. a. mehr.

Ausser diesen absoluten Abstrakten treten noch eine ganze Reihe von beschränkten Abstrakten in formelhafter Verwendung auf: Besonders Verba des Sagens und Sprechens sowie verwandte Verba, deren Tätigkeit mit einem Ton der Stimme verbunden ist, werden oft mit dem Dat. Instr. Pl. des Substantivs verbunden, das den Laut bezeichnet (= beschränktes Abstraktum). Am häufigsten wird hier wordum verwandt, z. T. auch, um einen Nachdruck auf etwas zu legen.

Beispiele:

wordum andswerian: (Gen. 2254).

wordum biddan: (Beow. 176; Gen. 2815).

wordum forbiddan: (Gen. 894).

wordum bewegan: (Beow. 1193).

wordum secgan: (Gen. 707, 1090, 2053, 2284, 2647, 2681, 2703; Sat. 126, 514; Beow. 388, 2795; Exod. 377).

wordum cweðan: (Gen. 2457).

wordum sprecan: (Beow. 1171; Gen. 1847, 2496, 2576; Dan. 487).

wordum cȳðan: (Gen. 2242; Dan. 97).

wordum herian: (Gen. 2, 1855; Sat. 661; Beow. 3176).

wordum þancian: (Beow. 626).

wordum lēogan: (Beow. 1811).

wordum grētan: (Beow. 1980).

wordum myndgian: (Beow. 2058).

wordum fricgan: (Gen. 2878).

wordum gehātan: (Gen. 2139, 2802).

wordum mǣlan: (Gen. 2911 u. öfter).

wordum mœðlan: (Gen. 2217 u. öfter).

wordum hnǣgan: (Beow. 1320).

wordum wrixlan: (Beow. 366, 874) u. a. mehr.

Alle diese Verbindungen sind formelhaft. Falls noch ein Adjektiv zu dem Dat. Instr. Pl. hinzutritt, geht die instrumentale Bedeutung desselben völlig in eine modale über, z. B. mēaglum wordum grētan = höflichst (gewählt) begrüssen (Beow. 1980). Cfr. dazu O. Hofer: „Der syntaktische Gebrauch des Dativs und Instrumentalis in den Cædmon beigelegten Dichtungen", Leipziger Diss. 1884.

Hier einordnen möchte ich auch das völlig formelhaft gewordene *hwyrftum scrīðan*, das sich in Beow. 163 und Sat. 631 nachweisen lässt. — Formelhaft erscheint mir auch die Wendung *cennan mid gebyrdum*, die sich in Wy. 3 und Gn. Ex.25 nachweisen lässt. — Diese Beispiele mögen genügen.

β) **Verbindung von abstraktem Substantiv + Adjektiv**

Beispiele:

œðelum dēore/dīore: Exod. 186; Beow. 1949; Rä. 44[1].

(Ähnlich *œðelum gōd*: Beow. 1871; *œðelum ēce*: Andr. 636, 884 u. s. f.).

meahtum/mihtum swīð, strang, spēdig, gehroden: (Az. 5; Cri. 330, 647, 716; Crä. 4; Phön. 10; Gū. 667; Hy. 4[68] und öfter).

tīrum fœst: Dan. 312.

gumcystum gōd/til: Gen. 1769, 1810; Beow. 1486, 2543.

duguðum/dugeðum dēore/ulanc: Gen. 951, 2419; Met. 10[29].

Formelhaft scheint mir auch die Verbindung des Adjektivs *œðele* mit dem Dat. Instr. Pl. *eorlgebyrdum* zu sein, die sich in Met. 9[26] und 10[27] nachweisen lässt. — Beachtenswert ist der formelhafte Gebrauch von Zeitabstrakten im Dat. Instr. Pl. in Verbindung mit gewissen Adjektiven wie frōd/geong etc. Vergleiche z. B.:

wintrum frōd: Beow. 1724, 2114, 2277; Gen. 2353 und öfter.

Ähnlich:

misserum	
gēarum	frōd (geong)
fyrndagum	

(Gen. 1072, 1742, 2381 und öfter).

Auch beschränkte Abstrakta wie dæd lassen sich öfter im Dat. Instr. Pl. mit Adjektiven wie from, fāh, gedēfe nachweisen; doch übergehe ich hier die einzelnen Belegstellen dieses formelhaften Gebrauches.[1]

γ) Verbindung zweier abstrakter Substantiva in formelhaftem Gebrauche

Es handelt sich hier meist um beschränkte Abstrakta, die im Dat. Instr. Pl. formelhaft verwandt werden. Cfr.:

wordum and weorcum: Beow. 1100, 1833; Cri. 918, 1237; Gū. 553; Sat. 47, 223.

wordum and dædum: Gen. 439, 2349.

Ebenso cfr.:

dædum ond (oððe)wordum: Gen. 2249, 2812; Cri. 429; Sat. 551.

Auch die Formel geofum ond gūðum (Beow. 1958) gehört hierher. — Von den Verbindungen zweier Zeitabstrakta in formelhaftem Gebrauche ist zu nennen:

dagum ond nihtum: Ex. 95. — Diese Beispielsammlung lässt sich noch erweitern.

d) Pluralgebrauch bei Abstrakten, die sich auf mehrere Personen oder Gegenstände beziehen

Mehrere Male ist der Pluralgebrauch eines altenglischen Abstraktums begründet in der Beziehung dieses Abstraktums auf mehrere Personen oder Gegenstände. Diese Erscheinung ist unserem heutigen deutschen Sprachgefühl fremd, während sie sich im Englischen noch jetzt nachweisen lässt (cfr. ne.: they lost their lives). — Im Altenglischen lassen sich viele Belege erbringen; ich begnüge mich hier mit Beispielen aus dem Beowulf, Daniel und der Genesis. — Dass dieser Gebrauch nicht nur im Angelsächsischen, sondern auch in anderen germanischen Sprachen nachweisbar ist, zeigt das Gotische,

---

1) Cfr. dazu M. Scheinert: „Die Adjektiva im Beowulf als Darstellungsmittel", Leipz. Diss. 1905, separat erschienen in P. B. B. XXX, S. 345 ff.

wo es z. B. 2. Kor. 4₂ heisst: du allaim miþwisseim mannê. — Vergleiche:

aldor/ealdor = «Leben» wird öfters pluralisch gebraucht mit Beziehung auf mehrere Personen (ganz dem ne. «they lost their lives» entsprechend).

Beow. 510: þær git for wlence wada cunnedon
ond for dolgilpe on dēop wæter
aldrum nēðdon?

Beow. 538: . . . þær wit on gārsecg ūt
aldrum nēðdon;

feorh/ferh = «Leben»

Beow. 73: . . . swylc him god sealde
būton folcscare ond feorum gumena.

Beow. 1306: . . . ne wæs þæt gewrixle til,
þæt hīe on bā healfa bicgan scoldon
frēonda fēorum.

mōd = «Herz, Gemüt, Sinn, Denkart»

Gen. 1985: . . . Hæleð ōnetton
on mægencorðrum mōdum þrydge.

Dan. 361: . . . Swā hīe þrȳ cwædon
mōdum horsce . . .

hige/hyge = «Denkart, Sinn»

Beow. 3148: . . . Higum unrōte
mōdceare mændon, mondryhtnes cwealm;

cyme = «Kommen, Ankunft»

Beow. 257: . . . ofost is sēlest
tō gecȳðanne, hwanan ēowre cyme syndon!

(Ein Parallelbeispiel lässt sich hier aus dem Althochdeutschen erbringen, wo Otfrid mit bezug auf mehrere Personen den Plural kunfti verwendet). — Beachtenswert ist bei cyme, dass an zwei Stellen sich auch in singularischer Bedeutung eine pluralische Form nachweisen lässt, cfr. den Nom. Pl. in Gū 1196 (. . . hwonan his cyme syndon!) und den Nom. Pl. des Kompositums seldcyme in Rä. 1¹⁴ (þīne seldcymas).

wēn = «Hoffnung, Erwartung»

Beow. 2895: . . . þær þæt eorlweorod
morgenlongne dæg mōdgīomor sæt,
bordhæbbende, bēga *on wēnum*:
dēað-cwalu = «Tod durch Mord»
Beow. 1712: ne gewēox hē him tō willan, ac tō wælfealle
ond tō *dēaðcwalum* Deniga lēodum.

An dieser Stelle möchte ich auch darauf hinweisen, dass
— wie das Kompositum dēað-cwalu — auch das Simplex und
absolute Abstraktum dēað pluralisch nachweisbar ist und zwar
als Gen. Pl. in Gū. 206 (þæt hē *dēaða* gedāl dreogan
sceolde: mit bezug auf eine Person) und in Ps. 78[12].
Ebenso habe ich das Kompositum *merc-dēað* in Abhängigkeit
von mæst als Gen. Pl. nachweisen können in Exod. 464.
Dass in diesem Plural ein sehr alter Gebrauch vorliegt, der
sich auch in anderen germanischen Sprachen nachweisen lässt,
beweist Osthoff in dem genannten Aufsatze I. F. XX, S. 199 ff.
Z. B. findet man im Gotischen im 2. Kor. 1[10] den Dat. Pl.
von dauþus: izei us swaleikam dauþum uns galausida (abweichend vom Griechischen). Im Althochdeutschen ist besonders auffallend der Plural dōti vom Sterben Christi; cfr.
Otfrid 5, 6, [8]: thie sēlbun Kristes dōti und Otfried 3, 25, [28]:
thuruh sīno eino dōtī (Cfr. dazu Wilmanns in seiner deutschen
Gram. III[2]). Weitere Beispiele dieses Gebrauches im Altenglischen übergehe ich hier.

e) Gegenseitige Beeinflussung bei abstrakten und konkreten Begriffen im Dat. bezw. Dat. Instr. Pl.

Man kann in der altenglischen Poesie, besonders im
Beowulf, die Beobachtung machen, dass bei dem Auftreten
eines Abstraktums im Dat. bezw. Dat. Instr. Pl. diese Form
selten allein steht, sondern sich meist in der Nähe anderer
Dat. bezw. Dat. Instr. Pl. findet, sei es abstrakter oder
konkreter. An manchen Stellen ist diese Erscheinung so
auffällig, dass man sich der Annahme gegenseitiger Beeinflussung schwer entziehen kann. Einige besonders charak-
teristische Stellen seien im Folgenden angeführt:

Gen. 1946 ff.... hine cyning engla
metod moncynnes mundbyrde hēold,
wilna *wæstmum* and *worulddugeðum*,
lufum and *lissum*; ...

Pa. 44/54: Æfter þǣre stefne stenc ūt cymeð
of þām wongstede, wynsumra stēam
swēttra and swīðra swæcca *gehwylcum*,
wyrta *blōstmum* and *wudublēdum*,
eallum æðelīcra corðan *frætwum*.
þonne of *ceastrum* and *cynestōlum*
and of *burgsalum* beornþrēat monig
farað *foldwegum* folca *þrȳðum*,
ēoredcystum ofestum gefȳsde
dareðlācende;

El. 1243 ff.:... Ic wæs *weorcum* fāh,
synnum āsæled, *sorgum* gewǣled
bitrum gebunden, *bysgum* beþrungen.

Rä. 27²⁴ ff.:... þā hyra tȳr and ēad
ēstum ȳcað and hī *ārstafum*
lissum bilecgað and hī lufan *fæðmum*
fæste clyppað.

Auch Met. 10²⁶ ff. sowie mehrere andere Stellen können
als Belege dienen.

Aus dem Beowulf sind folgende Stellen anzuführen:

Beow. 3072: þæt sē secg wǣre *synnum* scildig,
hefgum geheaðerod, *hellbendum* fæst,
wommum gewītnad, ...

Beow. 2088: sīo wæs *orponcum* eall gegyrwed,
dēofles *cræftum* ond dracan *fellum*.

Beow. 39: ne hȳrde ic cȳmlicor cēol gegyrwan
hildewǣpnum ond *heaðowǣdum*,
billum ond *byrnum*:

Einige andere Stellen sind nicht so deutlich:

Beow. 457: Fore *wælslyhtum* þū, wine mīn Bēowulf,
ond for *ārstafum* ūsic sōhtest.

Auch Beow. 173 ff. sowie 1712 und einige andere mehr
liessen sich hier einordnen.

f) Mengeabstrakta im soziativen Dat. Instr. Pl.

Im soziativen Dat. Instr. stehen Abstrakta, die eine Menge und Fülle bezeichnen, gern im Plural. Im Deutschen finden wir die gleiche Erscheinung, wenn es z. B. heisst: «in Massen, Haufen, Scharen kommen», «in Mengen sich finden» etc. Die Anschauungsweise bei diesem Pluralgebrauch ist kollektiv-unindividuell. — Als Beispiele aus der altenglischen Poesie führe ich an:

corðrum miclum cuman: Gen. 2451; ähnlich Gen. 1652 (in grossen Scharen kommen).

þrȳðum cuman: Exod. 340; ähnlich þrȳðum faran in Pa. 51 und Phön. 326 (in der Verbindung folca þrȳðum cuman/faran).

wearnum (in Haufen): Ps. 144[20].

wornum önettan (in Haufen eilen): Jud. 164; ähnlich wornum hweorfan in Cri. 958.

hēapum cuman/faran/þringan/fēran: (in Scharen): Cri. 549, 930; Phön. 336; Pa. 67; Andr. 126; Rä. 58[4]; cfr. ferner die soziativen Dat. Instr. Pl. hēapum in: Jud. 163; Gen. 1693; Dan. 302; Az. 22.

þrēatum þringan (in Mengen): Phön. 501; Jud. 164; ähnlich in Phön. 341; auch Gū. 257 ist zu vergleichen.

þrymmum þringan (in Scharen): Jud. 164.

duguðum faran: Gen. 1798 (in Haufen).

swēotum (in Scharen, turmatim); Gen. 1975; Exod. 341.

g) Das abstrakte altenglische Pluraletantum

An erster Stelle ist hier

ae. *æðelu* zu nennen, das als Femininum zwar einmal singularisch auftritt (Met. 30[7]), das aber als Neutrum sich ausnahmslos pluralisch nachweisen lässt. Nach Grein hat ae. æðelu die Bedeutung von lat. «nobilitas, principatus; natales, origo, prosapia; indoles, ingenium, natura; genus». Näheres über ae. æðelu ist einzusehen in dem von Th. v. Grienberger in P. B. B. Bd. XXXVI veröffentlichten Aufsatze: „Bemerkungen zum Beowulf" (S. 77 ff.) sowie in der von E. Sievers verfassten Antwort auf den Grienberger'schen Artikel in derselben Zeitschrift Bd. XXXVII unter dem Titel: „Gegenbemerkungen zum Beowulf".

ae. æðelu lässt sich nachweisen als:

Nom. Pl. in: Andr. 683, 735, Gen. 1716, 2772, El. 433, Jul. 286, Wid. 5; Gen. Pl.: Gu. 14; Dat. Pl.: Met. 17[16], Men. 119, Gen. 1054, 1440, Andr. 689, Cri. 1185, Beow. 332, Gu. 430; Acc. Pl.: Gen. 1389, Exod. 339, 353, By. 216, Beow.' 392, Pa. 2, Rä. 56[8], Gu. 68, Met. 17[25]; Dat. Instr. Pl.: Dan. 193, Exod. 186, Beow. 1870, 1949, Rä. 44[1], Andr. 636, 884, El. 315, Gen. 1533.

Auch die Komposita von æðelu sind nur pluralisch nachweisbar. So ist zu vergleichen: *fæder-æðelu* (pl. n.) = «Abstammung, Genealogie; nobilitas paterna, heriditaria, väterliche Ehren» (cfr. Grein im „Sprachschatz", Bd. I, S. 268 und Heyne-Schücking sowie Holthausen im Beowulfglossar): Acc. Pl.: Exod. 361; Dat. Pl.: Beow. 911.

riht-æðelu (pl. n.) = «vera indoles»; Nom. Pl.: Met. 17[20].

Was die Bedeutung von ae. æðelu anbetrifft, so halte ich die Grein-Sievers'sche Ansicht — die auch Heyne-Schücking vertreten — für die richtige, nach der ae. æðelu (ahd. adal) der Bedeutung unseres nhd. „Adel" im Sinne von „adlige Abstammung" oder kollektivisch „Stand der Adligen" oder metaphorisch „edle Beschaffenheit" gleichzusetzen ist. v. Grienberger stellt dagegen a. a. O. die Bedeutung „die Familien im eigentlichen Sinne" auf, „zu denen der einzelne in verwandtschaftlichem Verhältnisse steht" (cfr. Weiteres a. a. O. in P. B. B.).

Zu den abstrakten altenglischen Pluraliatantum rechne ich ferner die mit

-*stafas* zusammengesetzten Abstrakta. Zu diesen Kompositionen ist zu vergleichen: Ztschr. f. d. Phil. XXI, S. 362, Grimm II, S. 525 sowie v. Grienberger a. a. O. S. 80. Auch E. Sievers mit dem letztgenannten Aufsatze S. 401 ist zu vergleichen. —

Eine ganze Reihe abstrakter Begriffe ist mit -stafas zusammengesetzt und als Pluraletantum gebraucht. Der ur-

sprünglich sinnliche Vorstellungsinhalt von „stæf = Stab"
ist in diesen Begriffen nicht mehr erkennbar. Diese Zusammensetzungen haben eine durchaus vergeistigte Bedeutung
angenommen. Als Beispiele seien hier genannt:

ār-stafas = «gratia, Gnade, Huld»
Dat. Instr. Pl.: Beow. 317, 382, 458, Rä. 27[24].

fācen-stafas = «nequitia, Hinterlist, Verrat, Bosheit»
Acc. Pl.: Beow. 1018.

gebregd-stafas = «artes, artificia»
Acc. Pl.: Sal. 2.

glio-stafas = «Jubel, Freude»
Dat. Instr. Pl.: Wand. 52.

gyrn-stafas = «iniuria»
Gen. Pl.: Jul. 245.

hearm-stafas = «afflictio, tribulatio»
Nom. Pl.: Gen. 939; Acc. Pl.: Gū. 200.

sār-stafas = «offensio»
Dat. Instr. Pl.: Gū. 205.

sorh-stafas = «quod sollicitudinem affert» (Grein)
Dat. Pl.: Jul. 660.

wrōht-stafas = «iniuria»
Acc. Pl.: El. 926; vielleicht auch Rä. 72[12].

wyrd-stafas = «Schicksalsbeschluss; Schicksal»
Dat. Instr. Pl.: Gū. 1325.

Mit -stafas zusammengesetzt ist auch die konkrete Verbindung *rūn-stafas,* die sich in der altenglischen Poesie
dreimal nachweisen lässt (Beow. 1695; Rä. 43[6], 59[15]). Die
Bedeutung ist „Runstab, littera runica". Die Bemerkungen,
die v. Grienberger a. a. O. S. 98 zu rūn-stafas gibt, weist
Sievers a. a. O. S. 429 als falsch zurück.

Beachtenswert ist, dass einige abstrakte Begriffe nicht
mit dem Plural -stafas, sondern ausschliesslich mit dem Singular -stæf kombiniert werden. Es sind dies folgende Wörter:

ende-stæf = «finis»
Nom. Sg.: Wy. 11, Jul. 610; Acc. Sg.: Sat. 541,
Andr. 135, Beow. 1753.

ēðel-stuf = «Erbsitzstütze» (nach Grein's Übersetzung)
Nom. Sg.: Gen. 2223; Dat. Sg.: Gen. 1118.

inwit-stuf = «nequitia, malitia»
Nom. Sg.: Ps. 54[15]; Acc. Sg.: Ps. 140[5].

Ein Abstraktum zeigt einmal eine Kombination mit dem Plural -stafas und zweimal mit dem Singular -stæf:

edwit-stæf = «opprobrium; Schmach; Schande»
Nom. Sg.: Ps. 78[4]; Dat. Sg.: Ps. 108[24].

edwit-stafas ist als Acc. Pl. in der gleichen Bedeutung nachweisbar in Ps. 118[42].

Die Wahl der singularen Form -stæf oder der pluralen Form -stafas dürfte von metrischen Faktoren abhängig zu machen sein.

Als abstraktes altenglisches Pluraletantum ist weiter zu nennen: *ēað-mēdu* (pl. n.), das ebenso wie die bedeutungs- und stammverwandten Formen *ēad-mēdu* (pl. n.) und *ēað-metto* (pl. n.) ausschliesslich pluralisch nachweisbar ist. — Die Form

ēaðmēdu ist zu belegen

1. in der Bedeutung «humilitas»
Dat. Pl.: Ps. 118[51], Dan. 295 und Az. 15 (zu letzterem Beispiel cfr. schon Kap. IXa, β); Acc. Pl.: Ps. 118[153], 135[24], Cri. 359, 1443, Gu. 74; Dat. Instr. Pl.: Gu. 451, 892, Ps. 130[5], El. 1088, 1101 (cfr. Kap. IXa, α).

2. in der Bedeutung «leichter, sorgenfreier Sinn»
Dat Pl.: Gu. 299 (cfr. IXa, β); Dat. Instr. Pl.: Jud. 170, Andr. 891 (cfr. IXa, α).

3. in der Bedeutung «humanitas»
Dat. Instr. Pl.: Andr. 321 (IXa, α).

Die Form *ēad-mēdu* ist zu belegen:

1. in der Bedeutung «humilitas»:
Dat. Pl.: Ps. 89[17], 118[92]; Acc. Pl.: Ps. 118[107], Gu. 748.

2. in der Bedeutung «benignitas, comitas»
Acc. Pl.: Ps. 89³.

Die Form *ēað-metto* ist in der Bedeutung «humilitas»
nachzuweisen als:

Acc. Pl. in: Ps. Th. 9¹³, 24¹⁶; als Gen. Pl. in:
Met. 7³³, ³⁸.

Als Pluralia-tantum sehe ich auch die mit *-dagas* zusammengesetzten Zeitabstrakta an, die sich in der altenglischen
Poesie ziemlich häufig nachweisen lassen.

Als Beispiele seien hier genannt:

ǣr-dagas = «dies prisci» (pl. m.)
Dat. Pl.: Gen. 2543, Cri. 79, Phön. 415, Bo. 15,52, Hy. 3²⁵.

blǣd-dagas (pl. m.) = «dies prosperitatis; dies fausti»
Gen. Pl.: Gen. 1201, Phön. 674.

eald-dagas (pl. m.) = «dies prisci; Vorzeit»
Dat. Pl.: Cri. 303 (in ealddagum = olim).

feorh-dagas = «dies vitae, vita» (pl. m.)
Gen. Pl.: Gen. 2358.

aldor/ealdor-dagas = «dies vitae, vita» (pl. m.)
Dat. Pl : Beow. 718, 757.

fyrn-dagas (pl. m.) = «dies priscae»
Dat. Pl.: Exod. 559, Sat. 463, Cri. 1034, 1295, Phön.
570, Andr. 1, 753, 978, Gû. 601, El. 425, Mod. 1, Az. 33,
Dan. 317; Dat. Instr. Pl.: Beow. 1451, Gen. 1072.

geswinc-dagas = «dies tribulationis» (pl. m.)
Dat. Instr. Pl.: Seef. 2.

gēar-dagas (pl. m.) = 1. «dies annorum vel vitae»
Nom. Pl.: Ps. 89¹⁰, El. 1267, Cri. 822, Phön. 384.
Dat. Instr. Pl.: Gen. 1657.

= 2. «dies antiqui, Vorzeit»
Dat. Pl.: Sat. 368, Cri. 251, 559, Wand. 44, Beow. 1,
1354, 2233, Men. 117, Andr. 1521, El. 290, 835.

lǣn-dagas (pl. m.) = «die nur zeitweilig geliehenen
Lebenstage»
Acc. Pl.: Beow. 2591; Gen. Pl.: Beow. 2341.

līf-dagas (pl. m.) = «Lebenstage»
Nom. Pl.: Ps. 102[14]; Acc. Pl.: Ps. 90[16], Gen. 910,
Exod. 409, Beow. 793, 1622;
Dat. Pl.: Exod. 423, El. 441, Ps. 118[17], 139[8], Cri. 1225,
Wal. 75, Met. 15[6], 26[8b]; (einmal ist hiervon allerdings auch
der Sing. als Dat. nachweisbar in Hy. 6[8]).

sīð-dagas (pl. m.) = «tempora posteriora»
Dat. Pl.: El. 639.

win-dagas (pl. m.) = «dies tribulationis vel laboris»
Dat. Pl.: Beow. 1062.

wōl-dagas (pl. m.) = «dies pestilentiae»
Nom. Pl.: Ruin. 26.

Auf das auf Seite 112 schon erwähnte *searo* in der
Bedeutung „List, Kampf" möchte ich hier zum Schlusse noch
eingehen. In der Bedeutung «Rüstung» ist searo — dem
got. sarwa ganz entsprechend — ausschliesslich pluralisch
nachweisbar. Die Bedeutung: searo = „Kampf, List" ist im
Beowulf nur pluralisch nachweisbar. In der übrigen angelsächsischen Poesie aber lässt sich — wie aus Grein's „Sprachschatz" zu ersehen ist — searo in der angegebenen Bedeutung
mehrere Male auch im Singular nachweisen (und zwar als
Femininum, während searo sonst Neutrum ist). Von den Kompositis zeigen folgende ausschliesslich pluralischen Gebrauch:
bealu-, fācen-, fær-, inwit-, lāð- und *lige-searo*. Das nur im
Beowulf vorkommende inwit-searo wird von Heyne-Schücking
im Beowulfglossar als Pluraletantum angegeben.

Druckfehlerverzeichnis:

Seite 43: Wilmanns a. a. O. Bd. III$_2$ statt II$_2$.

Lebenslauf.

Am 7. Oktober 1890 wurde ich, Friedrich August Paul Grimm, als Sohn des Königl. Oberbahnassistenten Heinrich Grimm und seiner Ehefrau Sophie, geb. Schuppe in Erfurt geboren. Ich bin evangelischer Konfession und preussischer Staatsangehöriger. Meinen Schulunterricht erhielt ich zuerst auf der 1. Bürgerschule und sodann auf dem Königl. Realgymnasium zu Erfurt, das ich Ostern 1909 mit dem Zeugnis der Reife verliess. Seit dieser Zeit studierte ich an der Universität Halle a. S. hauptsächlich Englisch, Französisch, Deutsch und Philosophie. Am 27. Juli 1912 bestand ich das Rigorosum.

Ich habe die Vorlesungen, Übungen und Seminare folgender Herren Professoren und Dozenten besucht:

Achelis, Bremer, Brodnitz, Finger, Förster, Fries, Geissler, Goldschmidt, Havell, Hoffmann, Jahn, Kattenbusch, Krüger, Loofs, Menzer, Meumann, Michel, Ritter, Saran, Schädel, Schulze, Stammler, Strauch, Suchier, Wackernagel, Zachariae.

Allen genannten Herren spreche ich hier meinen Dank aus. Zu besonderem Danke fühle ich mich Herrn Prof. Dr. Deutschbein verpflichtet, der diese Arbeit anregte und mir bei ihrer Abfassung jederzeit in liebenswürdigster Weise zur Seite stand.

CPSIA information can be obtained
at www.ICGtesting.com
Printed in the USA
BVHW031421130819
555775BV00004B/381/P